ECN FLASH

OPHTALMOLOGIE

ORL

STOMATOLOGIE MAXILLOFACIALE

ECN FLASH

Ophtamologie

ORL

Stomatologie maxillofaciale

Mohamed El Sanharawi

Chloé Turpin

Sylvain Benzakin

Collection dirigée par Florian Ferreri

MALOINE

27, RUE DE L'ÉCOLE-DE-MÉDECINE, 75006 PARIS

2009

Dans la même collection :

Azémar B., *Pédiatrie*, 2008.
Donadille B., Uzunhan Y., *Pneumologie*, 2009.
Drouet T., Nguyen Kim A., *Neurologie*, 2008.
El Sanharawi M. *et al.*, *50 dossiers transversaux incontournables*, Tome I, 2e édition, 2009.
El Sanharawi M. Naudet F., Morel B., Lecerf P., *50 dossiers transversaux incontournables*, Tome II, 2009.
Faron M., *Gynécologie obstétrique*, 2008.
Ferreri F., Agbokou C., *Psychiatrie*, 2008.
Hammoudi N., *Cardiologie*, 2008.
Kelaidi C., James C., *Hématologie*, 2008.
Khodari M., Seidowsky A., *Urologie. Néphrologie*, 2009.
Ladner J., Nizard S., *Santé publique. Médecine légale. Médecine du travail*, 2009.
Ouzounian S., Donadille B., *Endocrinologie. Nutrition*, 2009.
Pyatigorskaya N., *Maladies infectieuses*, 2009.
Singly B. de, Camus M., *Hépato-gastroentérologie et chirurgie digestive*, 2008.
Tavolacci M.-P., Ladner J., *Lecture critique d'article*, 2008.
Zadegan F., Lenoir T. *Orthopédie*, 2008.

Chez le même éditeur :

Hoertel N., Cognat E., Basmaci R., Cortier D., *Annales Maloine Internat-ECN. 2002-2008*, 2009.
Garnier M., Delamare J., *Dictionnaire illustré des termes de médecine*, 30e édition, 2009.
Haslett C. *et al.*, *Davidson, Médecine interne*, 2e édition, 2004.

Maquette intérieure et de couverture : Zoé Production
Responsable d'édition : Valérie Laruelle-Bancel
Assistant d'édition : Stéphane Gonet

Dépôt légal : juin 2009
ISBN : 978-2-224-03061-2

Imprimé en Slovénie

PRÉSENTATION DE LA COLLECTION

Mémoriser l'intégralité du programme des épreuves classantes nationales (ECN) est un exercice imposé, difficile mais nécessaire.
Dans ce contexte, des ouvrages synthétiques tels ceux de la collection ECN « Flash » sont une aide précieuse et indispensable. C'est le complément idéal des supports théoriques exhaustifs (cours magistraux, polycopiés...) qui ont servi à réaliser le premier tour d'apprentissage pour l'ECN mais qui, par leur exhaustivité, sont peu maniables pour les tours de révisions. La collection ECN « Flash » s'adresse plus particulièrement au deuxième tour de révision et aux suivants.
La collection ECN « Flash » est l'aboutissement d'une réflexion pédagogique pragmatique :

- proposer un outil facilitant la mémorisation et le rappel des connaissances au bon moment ;
- vous faire gagner du temps.

Toute la collection est organisée selon le même modèle :

- une partie « dossier type ECN » permettant :
  - de mémoriser un malade typique. On sait combien les illustrations aident à la mémorisation et surtout à son rappel ;
  - de recenser les questions présentées au cours des dix dernières années, et de repérer les Immanquables à connaître, réviser et re-réviser ;
  - d'appréhender les questions « tombables » ;
  - de rendre compte des liens transversaux ;
- une partie fiche de cours :
  - didactique, mettant en avant les points les plus importants ;
  - synthétique (une page le plus souvent) ;
  - schématique ;
  - complète.

Toute la collection est rédigée par des spécialistes dans leur discipline. Ils sont enseignants et/ou conférenciers d'internat, au fait des préoccupations des étudiants mais aussi proches des professeurs des universités qui corrigent régulièrement les ECN et susceptibles de proposer des sujets officiels.

Dr Florian Ferreri

AUTEUR

El Sanharawi Mohamed, interne des hôpitaux de Paris, DES d'ophtalmologie.

Turpin Chloé, interne des hôpitaux de Nantes, DES d'ophtalmologie.

Benzakin Sylvain, interne des hôpitaux de Paris, DES d'ORL.

REMERCIEMENTS

Juste pour dire à toute ma famille (petits et grands) que je les aime.
Je tiens aussi à remercier le Pr Pisella et Mme Avouac Alexandra pour leur aide.
« Les œuvres ne valent que par leur intention. »

Mohamed El Sanharawi

À mes parents, mes frères et mon ami toujours présents,
À Audrey, ma sous-colleuse,
Aux médecins qui m'ont transmis leur passion de la médecine et de l'enseignement.
Un grand merci aux co-auteurs de ce livre pour leurs conseils avisés.

« Ce qui vaut la peine d'être fait vaut la peine d'être bien fait. » Nicolas Poussin

Chloé Turpin

Je remercie,
Mes parents, pour leur affection et leur soutien stimulant,
Vincent et Frédéric pour notre unité,
Émilie parce que ça lui fera plaisir...,
Yaël pour sa patience lors de l'écriture de cet ouvrage... et pour ce qui arrive.

Sylvain Benzakin

ABRÉVIATIONS

AAP : antiagrégant plaquettaire
ADP : adénopathie
Ac anti-Ach : anticorps anti-acétylcholine
ACR : *American College of Rhumatology*
AEG : altération de l'état général
AG : anesthésie générale
AHAI : anémie hémolytique auto-immune
AINS : anti-inflammatoire non stéroïdiens
AIT : accident ischémique transitoire
ATB : antibiotique
ATCD : antécédent
ATM : articulation temporo-mandibulaire
ATT : aérateur trans-tympanique
AV : acuité visuelle
AVC : accident vasculaire cérébral
AVK : anti-vitamine K
BAT : biopsie de l'artère temporale
BAV : baisse de l'acuité visuelle
BHC : bilan hépatocellulaire
BHR : barrière hémato-rétinienne
BK : Bacille de Koch
BL : bilan lipidique
BOM : biopsie ostéo-médullaire
B/R : bénéfice/risque
C : consensuel
CAE : conduit auditif externe
CAT : conduite à tenir
c/d : cup/disc
CE : corps étranger
CEIO : corps étranger intraoculaire
CI : contre-indication
CV : champ visuel
D : direct
DMLA : dégénérescence maculaire liée à l'âge
DR : décollement de rétine
DRP : désobstruction rhinopharyngée
DTS : désorientation temporo-spatiale
DTSA : doppler des troncs supra-aortiques
EBV : *Epstein-Barr Virus*
ECA : enzyme de conversion de l'angiotensine
ERG : électrorétinogramme
FDR : facteurs de risque
FO : fond d'œil
FOGD : fibroscopie œsogastroduodénale
Fr : fracture
GAFA : glaucome aigu par fermeture de l'angle
GAJ : glycémie à jeun
GCAO : glaucome chronique à angle ouvert
GNV : glaucome néo-vasculaire
HED : hématome extradural
HIV : hémorragie intra-vitréenne
HPV : *Human Papilloma Virus*
HSD : hématome sous-dural
HTA : hypertension artérielle
HTIC : hypertension intracrânienne
HTIO : hypertonie intraoculaire
IRM : imagerie par résonance magnétique
IST : infections sexuellement transmissibles
IVL : intraveineux lent
K : cancer
LAF : lampe à fente
LLC : leucémie lymphoïde chronique
LMNH : lymphome malin non hodgkinien
MD : maculopathie diabétique
MH : maladie de Hodgkin
Mi : « nième » mois
Néovx : néovaisseaux
NF2 : neurofibromatose de type II
NO : nerf optique
NOIA : neuropathie optique ischémique antérieure aiguë
NORB : névrite optique rétrobulbaire
O(B)ACR : occlusion (de la branche) de l'artère centrale de la rétine

O(B)VCR :	occlusion (de la branche) de la veine centrale de la rétine
OCT :	*Optical Coherence Tomography*
OD/OG :	œil droit/œil gauche
OIN :	néoplasie intra-épithéliale orale
OMA :	otite moyenne aiguë
OM(C/NC) :	œdème maculaire (cystoïde/non cystoïde)
OP :	œdème papillaire
OPH :	ophtalmologie
OPN :	os propres du nez
OSM :	otite séro-muqueuse
PAS :	pression artérielle systolique
PC :	perte de connaissance
PEA :	potentiel évoqué auditif
PEV :	potentiel évoqué visuel
PFP :	paralysie faciale périphérique
PIO :	pression intraoculaire
PL :	ponction lombaire
PL ± :	perception lumineuse présente ou absente
RAA :	rhumatisme articulaire aigu
RD(P/NP) :	rétinopathie diabétique (proliférante/non proliférante)
RGO :	reflux gastro-œsophagien
Rmq :	remarque
RP :	radiographie pulmonaire
RPM :	réflexe photomoteur
Si :	« nième » Semaine
Sdr :	syndrome
SEP :	sclérose en plaques
SF :	signes fonctionnels
SIO :	sphincter inférieur de l'oesophage
SP :	signes physiques
TDM :	tomodensitométrie
TDR :	test de diagnostic rapide
TO :	tonus oculaire
TOGD :	transit œsogastroduodénale
TTT :	traitement
V3M :	verre à trois miroirs
VADS :	voies aérodigestives supérieures
VNG :	vidéo-nystagmographie

SOMMAIRE

PARTIE I
Ophtalmologie

SUIVI D'UN NOURRISSON, D'UN ENFANT ET D'UN ADOLESCENT NORMAL. DÉPISTAGE DES ANOMALIES ORTHOPÉDIQUES*, DES TROUBLES VISUELS ET AUDITIFS*. EXAMENS DE SANTÉ OBLIGATOIRES*. MÉDECINE SCOLAIRE*. MORTALITÉ ET MORBIDITÉ INFANTILES*

OBJECTIFS

- Assurer le suivi d'un nourrisson, d'un enfant et d'un adolescent normaux.
- Argumenter les modalités de dépistage et de prévention des troubles de la vue et de l'ouïe*.
- Argumenter les modalités de dépistage et de prévention des principales anomalies orthopédiques*.

Une jeune maman célibataire et sans emploi consulte pour la première fois le pédiatre pour son fils âgé de 1 mois. Il est né par voie basse à terme et pesait 3 kg. Il n'a pas d'antécédent particulier. Lors de l'examen, vous notez une pupille droite blanchâtre.

1. *Quelle est cette anomalie ? Que doit-elle vous évoquer ?*
2. *Complétez le bilan clinique visuel.*

Vous décidez d'adresser cet enfant en urgence à un spécialiste.

3. *Quels autres signes d'appel visuels doivent amener à consulter un ophtalmologiste ?*
4. *Chez cet enfant, pourquoi cette consultation est-elle indispensable ? L'acuité visuelle subjective est-elle mesurable ? Si non, à partir de quel âge peut-elle être mesurée ?*

L'ophtalmologiste retrouve une cataracte *a priori* congénitale.

5. *Quels examens cliniques auraient pu mettre en évidence cette anomalie ? Où sont-ils consignés ? Justifiez leur intérêt en vous appuyant sur des données épidémiologiques.*

L'ophtalmologiste décide d'opérer cette cataracte très précocement. Au décours de l'intervention, l'amblyopie de l'œil droit persiste.

6. *Expliquez pourquoi elle persiste et comment il a procédé pour la diagnostiquer.*
7. *Citez deux autres anomalies fréquemment pourvoyeuses d'amblyopie.*
8. *Quelles en sont les grandes lignes de la prise en charge ?*

* non ou partiellement traité.

LIENS TRANSVERSAUX

Item 21 : Prématurité et retard de croissance intra-utérin : facteurs de risque et prévention
Item 23 : Évaluation et soins du nouveau-né à terme.
Item 51 : L'enfant handicapé, orientation et prise en charge.
Item 287 : Troubles de la réfraction.
Item 293 : Altération de la fonction visuelle.
Item 333 : Strabisme de l'enfant.

AMBLYOPIE

DÉFINITION

Insuffisance de certaines fonctions visuelles entraînant chez l'enfant un trouble de la maturation du cortex visuel irréversible en l'absence de traitement.

ÉPIDÉMIOLOGIE

- 15 à 20 % des enfants (1 enfant sur 6) de moins de 6 ans ont une anomalie visuelle.
- Anomalies visuelles fréquentes amblyogènes : troubles de la réfraction (anisométropie), strabisme.
- But du dépistage : identifier les facteurs amblyogènes et les amblyopies quand elles sont encore réversibles (avant 3 ans, voire jusqu'à 6-7 ans).

EXAMENS OPHTALMOLOGIQUES OBLIGATOIRES

- 8e jour : anomalie organique.
- 4e mois.
- 9e-12e mois (âge préverbal).
- 24e mois (âge verbal).
- 6 ans (âge scolaire).

SIGNES D'APPEL DEVANT FAIRE CONSULTER UN OPHTALMOLOGISTE

- Anomalie organique : leucocorie (pupille blanche), anomalie cornéenne, malformation palpébrale.
- Strabisme.
- Torticolis.
- Nystagmus.
- Trouble du comportement visuel : errance du regard, incoordination oculaire.

BILAN VISUEL

- Interrogatoire des parents : situation à risque de développer un facteur amblyogène.
- Examen externe de l'œil.
- Réflexes visuels : S1 : réflexe à la lumière, réflexe photo moteur ; S2-S4 : réflexe de poursuite ; S4-S12 : fusion, coordination binoculaire ; M3 : vision des formes ; M4-M5 : coordination œil-tête-main.
- Amblyopie : défense à l'occlusion (à partir du 9e mois).
- Strabisme : reflets cornéens, test de l'écran, lunettes à secteur de dépistage (à partir du 9e mois).
- Stéréoscopie (à partir du 9e mois).

+ Réfraction après cycloplégie et fond d'œil si signe d'appel d'un trouble visuel.

- Acuité visuelle subjective (à partir de 2 ans).

DÉPISTAGE

- Des **amétropies, anisométropies.**
- Du **strabisme**.
- Des malformations.
- Des infections materno-fœtales.
- Du glaucome congénital (mégalocornée).
- Des cataractes congénitales (leucocorie).
- Du rétinoblastome (leucocorie).
- Du syndrome des enfants secoués (hémorragies rétiniennes).

PRISE EN CHARGE

PRÉCOCE et SPÉCIALISÉE :

Au mieux avant 3 ans, voire jusqu'à 6-7 ans, par un ophtalmologiste.

→ **Diminue l'incidence de l'amblyopie.**

RMQ : un strabisme apparemment banal peut être le signe d'une tumeur intracrânienne.

CATARACTE

OBJECTIFS

- Diagnostiquer la cataracte et ses conséquences.
- Argumenter les principes de traitement et de prévention.

Un patient âgé de 58 ans, d'origine antillaise, vous consulte pour baisse progressive bilatérale de l'acuité visuelle depuis quelques mois, associée à des éblouissements. Le patient est diabétique de type 2, hypertendu, et il dit avoir été traité pour une sarcoïdose il y a 20 ans et totalement guérie actuellement.
À l'examen, l'acuité visuelle est de 3/10ᵉ à droite et de 4/10ᵉ à gauche. L'examen à la lampe à fente après dilatation pupillaire montre une cataracte nucléaire bilatérale, plus prononcée à droite. La cornée est normale et la chambre antérieure est calme et profonde.

1. *Quels autres signes fonctionnels auraient été évocateurs du diagnostic de cataracte ?* [2000]
2. *Comment allez-vous établir la responsabilité de la cataracte dans la baisse d'acuité visuelle ?*
3. *Si vous aviez diagnostiqué une cataracte sous capsulaire postérieure bilatérale, quel(s) aurai(en)t été les causes possibles chez ce patient ?* [2000]
4. *Le reste de l'examen ophtalmologique est dans les limites de la normale. Vous proposez alors au patient de le traiter du fait de l'importance de la gêne fonctionnelle. Quelle information lui donnez-vous concernant le traitement de cette cataracte ?* [2000]
5. *Quels examens complémentaires allez-vous réaliser avant de l'opérer ?*

Le patient récupère une vision normale après la chirurgie. Il revient 15 mois plus tard pour baisse progressive de l'acuité visuelle de l'oeil gauche. L'acuité visuelle est de 10/10ᵉ à droite et de 3/10ᵉ à gauche. Les deux yeux sont blancs, calmes et non douloureux. Vous concluez à la fin de votre examen ophtalmologique à une cataracte secondaire.

6. *À quoi correspond ce diagnostic et quel traitement proposez-vous ?*

LIENS TRANSVERSAUX

Item 54 : Vieillissement normal : aspects biologiques, fonctionnels et relationnels. Données épidémiologiques et sociologiques. Prévention du vieillissement pathologique.
Item 174 : Prescription et surveillance des anti-inflammatoires stéroïdiens et non stéroïdiens.
Item 233 : Diabète sucré de type 1 et 2 de l'enfant et de l'adulte.
Item 304 : Diplopie.
Item 333 : Strabisme de l'enfant.

CATARACTE

DÉFINITION

Opacification de tout ou partie du cristallin. Pathologie fréquente.

DIAGNOSTIC CLINIQUE

SF

- BAV progressive de loin, avec acuité visuelle de près conservée.
- Photophobie, éblouissement.
- Myopie d'indice.
- Halos colorés.
- Diplopie monoculaire.

SC (EXAMEN OPHTALMO)

- Mesure de l'AV de loin et de près.
- LAF après dilation pupillaire (+++) : opacification cristalline ; localise la cataracte (nucléaire, sous-capsulaire postérieure, corticale, totale).
- Tonus oculaire (glaucome associé).
- Fond d'œil (état de la rétine et de la macula).

DIAGNOSTIC DIFFÉRENTIEL

Aucun si examen ophtalmologique correct.

ÉTIOLOGIES

- Cataracte **sénile** (la plus fréquente) : bilatérale, asymétrique, corticonucléaire ; évolution lente.
- Cataractes **traumatiques** : unilatérale, sujet jeune. Faire une radiographie de l'orbite (CEIO).
- Cataractes **secondaires à une pathologie oculaire** : uvéite, décollement de rétine.
- Cataractes **liées à une pathologie générale** : diabète (sous capsulaire postérieure), hypoparathyroïdie, trisomie 21, maladie de Steinert.
- Cataractes **iatrogènes** : corticoïdes (sous capsulaire postérieure), radiothérapie (rare).
- Cataractes **congénitales** : embryopathie (TORCH), héréditaires.

TRAITEMENT UNIQUEMENT CHIRURGICAL

BILAN PRÉ-OP

- Consultation d'anesthésie.
- Calcul de la puissance de l'implant intraoculaire : biométrie, kératométrie.
- Information du patient.

- **Indication :** dépend de la gêne fonctionnelle, en général si AV ≤ 5/10e.
- Technique :
  - extraction extracapsulaire par phakoémulsification par ultrasons ;
  - avec mise en place d'un implant intraoculaire en chambre postérieure ;
  - sous anesthésie locale, en ambulatoire.
- **Traitement post-op :** collyres corticoïdes ou AINS.

RÉSULTATS

- Excellents dans 90 % des cas.
- Moins bons si pathologie oculaire pré-existante (glaucome, DMLA, rétinopathie diabétique).

COMPLICATIONS

- Endophtalmie (mauvais pronostic).
- Œdème maculaire.
- DR (réintervention nécessaire).
- Œdème cornéen.
- Cataracte « secondaire » par opacification de la capsule postérieure (traitement : photosection au laser YAG).

DÉFICIT NEUROSENSORIEL CHEZ LE SUJET ÂGÉ. DÉGÉNÉRESCENCE MACULAIRE LIÉE À L'ÂGE (DMLA)

OBJECTIF

- Diagnostiquer les maladies de la vision liées au vieillissement et en discuter la prise en charge thérapeutique, préventive et curative.

Vous voyez en consultation une patiente de 70 ans pour baisse progressive de l'acuité visuelle de loin, qui la gêne de plus en plus. Elle porte habituellement des lunettes pour sa myopie. Elle est hypertendue et a fumé du tabac jusqu'à l'âge de 60 ans. L'acuité visuelle de loin avec correction est de 5/10e à droite et 6/10e à gauche. Avec le trou sténopéique, vous obtenez une acuité visuelle de 7/10e à droite et 8/10e à gauche. De près, l'acuité visuelle est P2 des deux yeux avec sa correction. À l'examen, vous notez une cataracte bilatérale cortico-nucléaire. L'examen du fond d'œil met en évidence des lésions péri-maculaires multiples, blanc-jaunâtres, polycycliques et confluentes.

1. Quel(s) diagnostic(s) évoquez-vous chez cette patiente ?

2. À quoi pouvez-vous attribuer la baisse progressive de l'acuité visuelle ? Justifiez.

3. Quelle sera votre prise en charge thérapeutique et votre surveillance au long cours ?

Vous l'opérez de sa cataracte de l'œil droit puis de l'œil gauche. Elle revient deux ans plus tard car elle se plaint d'une baisse progressive de l'acuité visuelle de loin et de près et parce qu'elle voit des lignes ondulées lorsqu'elle lit.

4. Quelles sont vos hypothèses diagnostiques ?

L'examen ophtalmologique est normal en dehors du fond d'œil qui montre des zones d'atrophie de l'épithélium pigmentaire au niveau de la macula avec visibilité anormale des vaisseaux choroïdiens.

5. Quels examens complémentaires allez-vous prescrire ? Pourquoi ?

LIENS TRANSVERSAUX

Item 54 : Vieillissement normal : aspects biologiques, fonctionnels et relationnels. Données épidémiologiques et sociologiques. Prévention du vieillissement pathologique.

Item 62 : Troubles de la marche et de l'équilibre. Chutes chez le sujet âgé.

Item 293 : Altération de la fonction visuelle.

DÉGÉNÉRESCENCE MACULAIRE LIÉE À L'ÂGE (DMLA)

DÉFINITION

Maladie dégénérative rétinienne chronique, évolutive et invalidante, atteignant la macula de manière sélective.

PRÉVALENCE ET FACTEURS DE RISQUE

- 1re cause de cécité après 50 ans dans les pays industrialisés (prévalence 8 % après 50 ans).
- FR : âge, tabac, HTA, antécédents coronariens, couleur claire de l'iris, exposition à la lumière, génétique.

DIAGNOSTIC

SF

- BAV progressive de loin et de près (forme atrophique).
- BAV brutale (forme exsudative avec néovaisseaux).
- Métamorphopsies, scotome central.

SC (EXAMEN OPHTALMO)

- BAV de près orientant vers une affection maculaire.
- Grille d'Amsler objective les métamorphopsies.
- Fond d'œil : drusen, atrophie de l'épithélium pigmentaire, hémorragies, exsudats profonds, DR.

EXAMENS COMPLÉMENTAIRES

- Angiographie à la fluorescéine : étudie la vascularisation rétinienne et choroïdienne afin de diagnostiquer les drusens, les atrophies et les néovaisseaux choroïdiens.
- Angiographie en infrarouge au vert d'indocyanine : meilleure étude des néovaisseaux choroïdiens.
- OCT : visualise les néovaisseaux ou indices de leur présence (décollements séreux rétiniens).

FORMES CLINIQUES	Forme précoce : drusen (30 %).	Forme atrophique (50 %).	Forme exsudative (20 %).
FOND D'ŒIL	• Drusens : petites lésions profondes blanchâtres de taille et de forme variables. • Drusens miliaires et drusens séreux.	• Larges plages d'atrophie de l'épithélium pigmentaire. • Vaisseaux choroïdiens anormalement visibles.	• Apparition de néovaisseaux choroïdiens. • Complications : hémorragies sous-rétiniennes, décollements séreux rétiniens, exsudats.
TRAITEMENT	• Anti-oxydants. • Supplémentation vitaminique. • Surveillance.	• Pas de traitement médical. • Rééducation basse vision si BAV majeure.	• Si néovaisseaux extra-fovéolaires : photocoagulation au laser. • Si néovaisseaux rétro-fovéolaires : anti-VEGF, photothérapie dynamique (Visudyne), chirurgie.

PRONOSTIC

- Lié à l'apparition des néovaisseaux, qui se manifestent par une BAV brutale ± métamorphopsies.
- Dès lors : urgence diagnostique et thérapeutique.

SCLÉROSE EN PLAQUES
NÉVRITE OPTIQUE RÉTROBULBAIRE

OBJECTIFS

- Diagnostiquer une sclérose en plaques.
- Argumenter l'attitude thérapeutique et planifier le suivi du patient.
- Décrire les principes de la prise en charge au long cours d'un malade présentant un déficit moteur progressif.

OBJECTIFS (Collège des ophtalmologistes universitaires de France)

- Décrire les manifestations des atteintes oculaires de la SEP : NORB, paralysies oculomotrices, paralysies de fonction.
- Connaître les principes de la prise en charge d'une NORB.

Une patiente de 28 ans vous consulte pour diplopie récente. En effet, hier, elle s'est plainte de voir double brusquement, surtout quand elle regarde vers la droite. Cette diplopie disparaît à l'occlusion d'un œil. Dans ses antécédents, on trouve une névralgie du V de découverte récente. Elle fume dix cigarettes par jour et prend une pilule œstroprogestative. Cliniquement, on trouve une limitation partielle de l'abduction de l'œil droit.

1. *Comment caractérisez-vous cet épisode ?* [2006]
2. *Quels signes associés recherchez-vous ? Quels examens complémentaires prescrivez-vous ?* [2006]

La patiente ne vient pas aux examens prévus. Vous la revoyez 6 mois plus tard pour baisse rapide de l'acuité visuelle de l'œil gauche survenue deux jours auparavant, accompagnée de douleurs rétro-oculaires. L'acuité visuelle est de 2/10e de loin et P8 de près. L'examen du segment antérieur et le fond d'œil sont normaux.

3. *Quel est votre diagnostic ophtalmologique ? Quelles hypothèses diagnostiques étiologiques évoquez-vous ? Justifiez.* [2006]
4. *Quels examens à but étiologique allez-vous prescrire ?* [2006]
5. *Quelle sera votre prise en charge thérapeutique pour l'épisode actuel ?* [2006]

LIENS TRANSVERSAUX

Item 174 : Prescription et surveillance des anti-inflammatoires stéroïdiens et non stéroïdiens.
Item 187 : Anomalie de la vision d'apparition brutale.
Item 304 : Diplopie.

LA NORB

DÉFINITION

Neuropathie optique correspondant à l'inflammation du nerf optique dans sa portion rétrobulbaire.

ÉPIDÉMIOLOGIE

Femme de 30 ans. 1er signe de la SEP dans 15 à 30 % des cas.

DIAGNOSTIC

SF

- BAV brutale, importante et unilatérale.
- Douleurs rétro-oculaires, augmentées lors des mouvements de l'œil.

SC (EXAMEN OPHTALMO)

- BAV importante, de loin et de près.
- RPM direct diminué, réflexe consensuel conservé.
- Fond d'œil : normal, parfois œdème papillaire modéré.

EXAMENS COMPLÉMENTAIRES

- Champ visuel : scotome central ou coecocentral.
- Vision des couleurs altérée.
- PEV altérés (allongement des temps de latence).
- IRM cérébrale (++++) à la recherche de signes évoquant une SEP.

DIAGNOSTICS DIFFÉRENTIELS : LES AUTRES NEUROPATHIES OPTIQUES

ÉVOLUTION

Récupération visuelle en trois mois. Récidive homo- ou controlatérale chez 20 à 35 % des patients.

TRAITEMENT

Corticoïdes en bolus par voie IV : 1 g/jour pendant 3 jours, puis 11 jours de prednisone par voie orale à 1 mg/kg/jour. Traitement de la SEP (interféron).

PRONOSTIC

Le plus souvent favorable, parfois récupération incomplète avec BAV définitive. Inaugurale d'une SEP dans 30 à 70 % des cas.

AUTRES ATTEINTES OPHTALMIQUES DANS LA SEP

- **Paralysies oculomotrices :**
  - paralysie du VI ;
  - ophtalmoplégie internucléaire antérieure par atteinte de la bandelette longitudinale postérieure (du coté de l'atteinte du III) qui relie le noyau du III au VI controlatéral. SF : diplopie horizontale maximum dans le regard vers le dehors ;
  - ophtalmoplégie internucléaire postérieure.
- **Périphlébites rétiniennes.**

PRÉLÈVEMENT DE CORNÉE À BUT THÉRAPEUTIQUE. GREFFE DE CORNÉE

OBJECTIFS

- Expliquer les aspects épidémiologiques et les résultats des transplantations d'organe et l'organisation administrative.
- Expliquer les principes de choix dans la sélection du couple donneur-receveur et les modalités de don d'organe.
- Argumenter les principes thérapeutiques et les modalités de surveillance d'un sujet transplanté.
- Argumenter les aspects médico-légaux et éthiques des transplantations d'organes.

Vous suivez une patiente de 30 ans pour une kératite herpétique récidivante de l'œil droit initialement sévère. Après plusieurs mois de traitement, une cicatrice centrale persiste, gênant la vision de votre patiente qui se plaint de ne pas pouvoir travailler. En effet, elle est commerciale et la perte de la vision du relief est handicapante pour la conduite. La meilleure acuité visuelle corrigée de l'œil droit est de 2/10. Devant ce retentissement fonctionnel important, vous envisagez une greffe de cornée.

1. *Quelle information lui donnez-vous concernant le pronostic de la greffe ?*
2. *Inquiète, elle vous demande s'il existe un risque de rejet ; que lui répondez-vous ?*
3. *Vous décidez finalement de greffer votre patiente. Quelles mesures médico-légales sont indispensables à la réalisation de la greffe ?*
4. *La veille de l'intervention, elle vous demande quelle est la nature de la cornée qu'elle va recevoir, comment est-elle prélevée et s'il y a des risques de transmission d'agents infectieux. Que lui dites-vous ?*

L'intervention se déroule sans complication. Les suites opératoires immédiates sont simples. Votre patiente sort sous traitement anti-inflammatoire local et anti-viral prophylactique *per os*. L'acuité visuelle remonte progressivement.

Quelques années plus tard, alors qu'elle ne vous avait pas consulté depuis longtemps, elle est envoyée par son médecin traitant pour un œil rouge et une baisse d'acuité visuelle brutale de l'œil droit.

5. *Quels sont les deux diagnostics à évoquer ?*

LIENS TRANSVERSAUX

Item 6 : Le dossier médical. L'information du malade. Le secret médical.
Item 174 : Prescription et surveillance des anti-inflammatoires stéroïdiens et non stéroïdiens.
Item 181 : Iatrogénie. Diagnostic et prévention.
Item 187 : Anomalie de la vision d'apparition brutale.
Item 212 : Œil rouge et/ou douloureux.
Item 293 : Altération de la fonction visuelle.

PRÉLÈVEMENT DE CORNÉE À BUT THÉRAPEUTIQUE. GREFFE DE CORNÉE

DÉFINITION

Remplacer un fragment de cornée opaque par une cornée saine, transparente, venant d'un donneur.

ÉPIDÉMIOLOGIE ET PARTICULARITÉS DE LA GREFFE DE CORNÉE

- Homogreffe de tissu la plus ancienne réalisée avec succès chez l'homme.
- Site privilégié : pas de vaisseaux, pas de lymphatiques, peu de cellules.

→ Peu de conflit immunologique.

- Rejet pris en charge rapidement :
  - symptômes parlants (BAV) ;
  - diagnostic simple (examen clinique).
- Succès : survie du greffon à 5 ans : 60 à 90 % = élevé.
- Technique chirurgicale simple et codifiée.

PRÉLÈVEMENT DE CORNÉE À BUT THÉRAPEUTIQUE

Aspects médico-légaux

- Dans un établissement de santé autorisé = tout établissement de santé compétent.
- Par un médecin préleveur qui veille au cadre légal et réglementaire du prélèvement : sécurité microbiologique, traçabilité.
- Inscription sur la liste nationale de l'agence de biomédecine.

GREFFE DE CORNÉE

Indications

- Séquelles de traumatisme perforant cornéen.
- Brûlures chimiques, en particulier par bases.
- Dégénérescences cornéennes (30-40 %) : kératocône +++, dystrophies héréditaires.
- Kératites : herpétiques +++ (5 %), abcès bactériens, amibiennes.
- Dystrophie bulleuse de la personne âgée (45 %).

SÉLECTION DES DONNEURS

- Selon l'association européenne des banques d'yeux :
  - CI locales : affection oculaire ;
  - CI générales rendant le prélèvement dangereux : hépatites virales aiguës, VIH, herpès, rage, encéphalites virales aiguës ou d'étiologie inconnue, maladie de Creutzfeldt-Jacob ;
  - CI générales car risque de transmission du donneur au receveur connu ou suspecté : risque infectieux, hémopathie maligne, pathologies du SNC dont la physiopathologie n'est pas certaine ;
  - CI générales relatives.
- Cas particuliers :
  - VIH : aucun cas de transmission jusqu'à ce jour ;
  - ECJ : 3 cas par greffe de cornée ;
  - VIH : aucun cas de transmission jusqu'à ce jour.

TECHNIQUE

= excision *in situ*
- Pas d'énucléation.
- Restitution tissulaire *ad integrum* par prothèse :

→ meilleure acceptation des familles.
- Avant H6, +/– H20 si conservation du corps à 4 °C.

SURVEILLANCE

- Efficacité : anatomique, fonctionnelle.
- Complications de la greffe, des traitements du rejet.
- Examen clinique :
  – SF : rougeur, douleur, BAV ;
  – SP : AV, LAF (cicatrisation cornéenne, œdème cornéen, précipités rétrodescémétiques, seidel), TO au doigt puis à aplanation quand cicatrisation complète, signes de la maladie initiale.

PRONOSTIC ET COMPLICATIONS

- Succès anatomique et fonctionnel : 60 à 90 %.
- Complications (rares) :
  – retard d'épithélialisation ;
  – défaillance précoce de l'endothélium du greffon ;
  – rejet immunitaire ou « maladie du greffon » (qui est la principale cause d'échec) :
    - greffes à haut risque de rejet (20 %) : néovascularisation cornéenne, grand diamètre, affection primitive sévère ou récidivante (brûlure, herpès), jeune âge du receveur (<12 ans),
    - traitement préventif post-op. : corticothérapie locale,
    - traitement curatif : ↑ corticothérapie locale + corticothérapie générale + ciclosporine locale (+/- générale) ;
  – récidive de la maladie causale : herpès, dystrophie bulleuse, kératocône ;
  – gypertonie oculaire ;
  – astigmatisme post op.

HYPERTENSION ARTÉRIELLE DE L'ADULTE

OBJECTIFS

- Expliquer l'épidémiologie, les principales causes et l'histoire naturelle de l'hypertension artérielle de l'adulte.
- Réaliser le bilan initial d'une hypertension artérielle de l'adulte.
- Argumenter l'attitude thérapeutique et planifier le suivi du patient.
- Décrire les principes de la prise en charge au long cours.

OBJECTIFS (Collège des ophtalmologistes universitaires de France)

- Connaître les signes de la rétinopathie hypertensive et de l'artériosclérose rétinienne.
- Savoir prendre en charge une NOIA (bilan ophtalmologique et traitement).
- Savoir prendre en charge les occlusions artérielles rétiniennes.
- Savoir prendre en charge les occlusions veineuses rétiniennes.

En fin d'après-midi, un homme de 61 ans, charcutier, consulte pour une baisse d'acuité visuelle majeure de l'œil droit. Il se plaint de ne plus rien voir de cet œil depuis le matin. Vous connaissez bien ce patient puisque vous le suivez pour une hypertension artérielle chronique ancienne difficile à équilibrer et une hypercholestérolémie. Malgré tous vos conseils, il continue de fumer son paquet de cigarettes par jour.
Vous ne retrouvez pas de douleur oculaire à l'interrogatoire. Vous l'adressez aux urgences ophtalmologiques car vous suspectez une oblitération de l'artère centrale de la rétine (OACR).

1. *Quels éléments du texte vous ont permis de suspecter ce diagnostic ?*

À l'examen, il ne perçoit pas la lumière à droite et l'acuité visuelle est de 9/10e à gauche. L'examen à la lampe à fente après dilatation pupillaire révèle que l'œil est calme et indolore et qu'il existe une cataracte corticale bilatérale minime.

2. *Quels autres signes physiques ophtalmologiques retrouverez-vous s'il s'agit effectivement d'une OACR ?*
3. *Comment allez-vous établir la responsabilité de la cataracte dans la baisse d'acuité visuelle ?*
4. *Quel(s) examen(s) complémentaire(s) faites-vous afin de confirmer votre diagnostic ?*
5. *Quelle est votre principale hypothèse étiologique ? Quel bilan complémentaire réalisez-vous en urgence afin d'orienter votre diagnostic étiologique ?* [1998]
6. *Vous décidez d'hospitaliser votre patient en urgence, pourquoi ?* [1998]
7. *Il vous interroge sur les risques liés à cet épisode, que lui répondez-vous ?* [1998]

LIENS TRANSVERSAUX

Item 119 : Maladie de Horton et pseudopolyarthrite rhizomélique.
Item 128 : Athérome : épidémiologie et physiopathologie. Le malade poly-athéromateux.
Item 129 : Facteurs de risque cardiovasculaire et prévention.
Item 133 : Accidents vasculaires cérébraux.
Item 187 : Anomalie de la vision d'apparition brutale.

RÉTINOPATHIE HYPERTENSIVE – ARTÉRIOSCLÉROSE RÉTINIENNE – CHOROÏDOPATHIE HYPERTENSIVE

DÉFINITION

- **Rétinopathie hypertensive** : modifications rétiniennes directement liées à l'élévation des chiffres tensionnels → Réversible sous traitement de l'HTA.
- **Artériosclérose rétinienne :** modifications chroniques liées à l'artériosclérose dont l'HTA est un facteur de risque → Irréversible.
- **Choroïdopathie hypertensive** : atteinte des vaisseaux choroïdiens secondaire à l'HTA.

PHYSIOPATHOLOGIE DE LA RÉTINOPATHIE HYPERTENSIVE

- Occlusion artériolaire : autorégulation des vaisseaux rétiniens : vasoconstriction active si ↑ PAS car Pression de Perfusion rétinienne = PAS-PIO. → Nodules cotonneux (NC), hémorragies profondes en flaques.
- Rupture de BHR → Œdème rétinien, hémorragies superficielles, exsudats secs.

① Vasoconstriction artérielle réversible.
Puis ② Signes d'occlusion artériolaire et de rupture de BHR irréversibles.

	RÉTINOPATHIE HYPERTENSIVE (RARE)	ARTÉRIOSCLÉROSE (FRÉQUENTE)
FDR	• HTA chronique ancienne. • HTA sévère.	• HTA. • Diabète. • Tabac. • Autres fdrcv.
SF	• BAV tardive si atrophie papillaire par persistance de l'OP.	• AUCUN sauf complications : O(B)ACR, O(B)VCR, NOIA.
SP	• AV : +/- diminuée. • FO : aspécifique si signes isolés, spécifique si plusieurs présents.	• AV : normale sauf complications. • FO : accentuation du reflet artériolaire.
Classification de Kirkendall (FO)	1. Rétrécissement du calibre artériel. 2. Hémorragies rétiniennes profondes, NC, exsudats secs. 3. 2. + œdème papillaire (OP).	1. Signe du croisement : conflit artério-veineux. 2. Rétrécissement artériel en regard. 3. Engainement vasculaire = thrombose : OBVCR, OBACR, NOIA.

CHOROÏDOPATHIE HYPERTENSIVE

FDR	**HTA.**
SF	**AUCUN sauf complications : DR exsudatifs (dans toxémies gravidiques surtout).**
SP	• AV : normale sauf complications. • FO : – tâches d'Elschnig profondes et blanches (= ischémie et nécrose de l'épithélium pigmentaire par vasoconstriction secondaire à l'activation sympathique par l'HTA) ; – DR exsudatif au pôle postérieur.

NEUROPATHIE OPTIQUE ISCHÉMIQUE ANTÉRIEURE AIGUË (NOIA)

DÉFINITION

Ischémie aiguë de la tête du nerf optique par occlusion de l'artère ciliaire postérieure (ACP) ou d'une de ses branches. Elle peut être artéritique (Horton) ou non (artériosclérose).

URGENCE

- Du diagnostic étiologique : maladie de Horton = risque de cécité complète bilatérale définitive.
- Du diagnostic différentiel : HTIC (œdème papillaire bilatéral, papille colorée, absence d'hémorragie).

DIAGNOSTIC CLINIQUE POSITIF

- **SF :** BAV indolore, unilatérale, brutale, le matin au réveil +/- précédée d'épisodes d'amaurose fugaces.
- **SP :** AV : variable : de 10/10e à PL–.
- LAF : RPM asymétrique : direct : diminué ou absent ; consensuel : normal.
- FO bilatéral et comparatif : œdème papillaire (OP) unilatéral total ou partiel (sectoriel), papille pâle, hémorragies en flammèches bordant l'œdème.

DIAGNOSTICS ÉTIOLOGIQUES

- **Maladie de Horton** (se référer aux 5 critères diagnostiques de l'ACR) : signes systémiques ; modification des artères temporales ; caractéristiques de la NOIA (précédées d'épisodes d'amaurose fugaces, ischémie choroïdienne à l'angiographie) ; ↑↑ VS et ↑ CRP ; BAT systématique pour justifier une corticothérapie au long cours débutée avant les résultats.
- **Artériosclérose** : *cf.* ce chapitre.

BILAN OPH

- CV automatisé : déficit :
  - fasciculaire (NO) ;
  - altitudinal (vasculaire).
- Angiographie à la fluorescéine :
  - OP sectoriel ;
  - +/- ischémie choroïdienne.

TRAITEMENT

Urgence fonctionnelle médicale, hospitalisation.

Maladie de Horton

- Corticothérapie générale: bolus de méthylprédnisolone (1 g/j pendant 3 j).
- Puis relais *per os* : prédnisone : 1 à 1,5 mg/kg/j jusqu'à diminution de la CRP et la VS.
- Puis diminution progressive.

Artériosclérose

- TTT des FRCV
- Aspirine à vie.
- Endartériectomie carotidienne si sténose CI > 70 %.

ÉVOLUTION ET PRONOSTIC

- ↓ OP en 6-8 semaines.
- Atrophie papillaire variable selon l'étendue de l'OP initial : pas de récupération visuelle.
- Récidive controlatérale, surtout si Horton.

OCCLUSIONS ARTÉRIELLES RÉTINIENNES

DÉFINITION

Arrêt circulatoire dans le territoire de l'artère centrale de la rétine ou d'une de ses branches entraînant une ischémie rétinienne interne définitive en 90 minutes → BAV sévère et irréversible.
Typiquement : homme de 60 ans + fdrcv.

OACR

SF

- BAV indolore, unilatérale, brutale, totale, le matin au réveil.
- +/- précédée d'épisodes d'amaurose fugaces (plaques d'athérome carotidien).

SP

- AV : effondrée, limitée à PL–.
- LAF : RPM : mydriase aréactive : direct : – ; consensuel : +.
- FO bilatéral et comparatif :
  - artères grêles et filiformes ;
  - papille pâle ;
  - macula rouge cerise contrastant avec l'œdème rétinien blanc chamois ischémique ;
  - pas de signes d'OVCR.

OBACR

SF

- Amputation du CV altitudinale à limite horizontale le plus souvent.
- BAV variable selon l'atteinte maculaire.

SP

- AV : variable selon l'atteinte maculaire.
- LAF : RPM conservé.
- FO bilatéral et comparatif : œdème rétinien :
  - ischémique en secteur à systématisation artérielle sur le territoire de la branche occluse ;
  - avec ou sans atteinte maculaire ;
  - au niveau d'une bifurcation artérielle soulignée par l'embole.

ÉTIOLOGIES

OACR

Thromboses :
- Artéritiques : maladie de Horton.
- Troubles de la coagulation.

Embolies :
- La plus fréquente = athérome carotidien.
- Cardiopathies emboligènes.
- Autres : lipidiques, tumorales.

⇨ Bilan cardiovasculaire et inflammatoire (VS) urgent.

OBACR

Idem OACR

Sauf Horton : n'atteint pas les artères de petit calibre.

PRINCIPES THÉRAPEUTIQUES

Urgence fonctionnelle, hospitalisation

Symptomatique :
- Hypotonisants oculaires.
- Vasodilatateurs artériels.
- +/- fibrinolytiques selon B/R.

Étiologique :
- Anticoagulation efficace si athérome ou cardiopathie emboligène.
- Cordticothérapie générale si Horton.

ÉVOLUTION ET PRONOSTIC

Défavorable : BAV sévère irréversible.
Complications à craindre :
- de l'OACR : cécité, bilatéralisation, GNV ;
- de la maladie athéromateuse sous-jacente (+++), du traitement.

- Favorable : récupération AV (> 5/10e).
- Séquelles : amputation du CV.

OCCLUSIONS VEINEUSES RÉTINIENNES

DÉFINITION

Gêne au retour veineux dans les veines rétiniennes se rendant à la papille.

DIAGNOSTIC CLINIQUE

FACTEURS DE RISQUE

- Âge > 50 ans.
- Fdrcv modifiables : tabac, obésité, dyslipidémie, diabète, HTA.
- HTIO, GCAO.

+ Avant 50 ans : troubles de la coagulation connus, contraception orale OP chez la jeune fille.

SF

BAV indolore, brutale, unilatérale, variable selon le type : du flou visuel (O.) à PL+ seulement (I.)

SP

• AV : ↓ variable :		• LAF : RPM variable :	
Œdémateuse	Ischémique	Œdémateuse	Ischémique
> 2/10e	< 1/20e	• D : + • C : +	• D : - • C : +

- TO/cycle nycthéméral du TO : HTIO souvent associée, à rechercher sur l'œil controlatéral car l'OVCR diminue le TO.
- FO bilatéral et comparatif :

Œdémateuse
- Œdème papillaire.
- Hémorragies superficielles en flammèches.
- Dilatations veineuses, veines tortueuses.

+/- nodules cotonneux.

Ischémique
- **Œdème papillaire.**
- **Hémorragies profondes en flaques.**
- **Dilatations veineuses, veines tortueuses.**

Nodules cotonneux +++.

↓

ÉTIOLOGIES

- Générales :
  - athérome +++ ;
  - inflammation ;
  - hémopathies, troubles primitifs de la coagulation.
- Locales :
  - infections ORL, stomato ;
  - Compression intra-orbitaire.

→

BILAN SYSTÉMATIQUE

- Interrogatoire : FDR généraux et ophtalmologiques d'OVCR.
- Paraclinique :
  - biologique : GAJ, BL, créat, NFS, VS, coag. ;
  - cardiovasculaire : Holter TA, ECG, DTSA ;
  - +/- bilan de thrombophilie si < 50 ans.

TRAITEMENT : HOSPITALISATION EN URGENCE

Traitement étiologique (FDRCV, HTIO) + traitement préventif : anticoagulant ou AAP, vasodilatateurs.

ANOMALIE DE LA VISION D'APPARITION BRUTALE

OBJECTIFS

- Diagnostiquer une anomalie de la vision d'apparition brutale.
- Identifier les situations d'urgence et planifier leur prise en charge.

Un homme de 30 ans vous appelle pour une baisse d'acuité visuelle de l'œil gauche. Vous ne connaissez pas ce patient. Vous l'interrogez brièvement par téléphone : la baisse de vision semble brutale et nécessite une prise en charge rapide.

1. *Décrivez votre examen. Comment allez-vous orienter votre diagnostic étiologique ?*

Il s'avère que votre patient est fort myope, a toujours eu un œil qui voyait un peu moins bien, le gauche, et n'est pas suivi.

2. *À quelle pathologie prédispose la forte myopie, notamment en l'absence de suivi ophtalmologique régulier ? Quels signes fonctionnels seraient en faveur de cette pathologie ?*

3. *Votre hypothèse se confirme, décrivez le fond d'œil de l'œil gauche.*

Vous décidez d'hospitaliser votre patient pour une prise en charge chirurgicale. Durant l'intervention sous anesthésie générale, tout se déroule comme prévu. Le patient reste quelques heures en salle de réveil mais, juste avant son transfert dans le service, il se plaint de voir très flou de son « bon » œil, le droit, et d'avoir la sensation d'avoir des grains de sable douloureux dans ce même œil.

4. *Quel diagnostic suspectez-vous devant cette anomalie brutale et douloureuse de la vision de l'œil droit ?*
5. *Que recherchez-vous au lit pour étayer votre diagnostic ? Décrivez votre examen.*
6. *Expliquer au patient le mécanisme et le pronostic de cette affection de l'œil droit.*

L'atteinte de l'œil droit rentre rapidement dans l'ordre sous traitement local adapté. Le résultat chirurgical à gauche est satisfaisant.

7. *Quelle information donnez-vous à votre patient à sa sortie ? Quels sont les symptômes devant l'amener à consulter rapidement ?*

LIENS TRANSVERSAUX

Item 125 : Sclérose en plaques.
Item 212 : Œil rouge et/ou douloureux.
Item 287 : Troubles de la réfraction.
Item 293 : Altération de la fonction visuelle.
Item 304 : Diplopie.

ANOMALIE DE LA VISION D'APPARITION BRUTALE

DÉFINITION

Anomalie visuelle brutale ou rapidement progressive en dehors du traumatisme oculaire.

DIAGNOSTIC CLINIQUE

INTERROGATOIRE

- Âge.
- ATCD : oculaires, généraux.
- Traitements : oculaires, généraux.
- Notion de traumatisme, même minime.

SF :

- Type de l'anomalie visuelle :
  - BAV ;
  - CV altéré : scotome, déficit périphérique ;
  - douleurs : superficielles, profondes, céphalées ;
  - diplopie ;
  - métamorphopsies (objets déformés) ;
  - myodésopsies (« mouches volantes ») ;
  - phosphènes (éclairs lumineux) ;
  - photophobie.
- Uni- ou bilatérale.
- Rapidité d'installation : brutale, rapidement progressive.

SP = EXAMEN OPHTALMOLOGIQUE

Bilatéral et comparatif :
- AV : de près, de loin, des 2 yeux.
- Tonus oculaire (TO).
- LAF :
  - conjonctive ;
  - cornée (+ fluorescéine et lumière bleue) ;
  - RPM ;
  - chambre antérieure ;
  - iris – gonioscopie ;
  - cristallin.
- FO après dilatation pupillaire en l'absence de CI :
  - vitré ;
  - rétine :
    - pôle postérieur : papille (NO), vaisseaux, macula,
    - rétine périphérique au V3M.
- Œil adelphe.

+ CV par confrontation, oculomotricité au doigt, examen des annexes et paupières.

ÉTIOLOGIES

ŒIL ROUGE ET DOULOUREUX

(*cf.* Item 212)

Atteinte aiguë du segment antérieur

- Mydriase :
  - GAFA ;
  - GNV.
- Myosis :
  - réactif : kératite aiguë ;
  - aréactif : uvéite antérieure aiguë.

ŒIL BLANC ET INDOLORE

(*cf.* Items 60, 125, 130)

- FO visible :
  - FO anormal :
    - OACR, OVCR, NOIA,
    - DR,
    - DMLA exsudative,
    - hyalite, uvéite post,
    - toxoplasmose oculaire,
  - FO normal :
    - NORB,
    - autres atteintes des voies optiques.
- FO non visible :
  - HIV ;
  - Hyalite.

TRAITEMENT DES COMPLICATIONS ET PRONOSTIC

Œdémateuse
- 50 % favorable : normalisation du FO à 3-6 mois.
- 20-25 % : œdème maculaire cystoïde : BAV persistante à 3-6 mois (TTT par photocoagulation maculaire).
- 20-25 % : évolutions vers une forme ischémique.

Ischémique
- BAV persistante (PPR préventive programmée systématique).
- Néovaisseaux :
  - iriens (GNV au 100e j) : traitement en urgence (hypotonisants, PPR ± chirurgie) ;
  - prérétiniens : HIV ;
  - prépapillaires : DR.
- Maculopathie ischémique.

ANOMALIE DE LA VISION D'APPARITION BRUTALE

DÉCOLLEMENT DE RÉTINE (DR)

DÉFINITION

- **DR rhégmatogène :** clivage entre la rétine neurosensorielle et l'épithélium pigmentaire.
- **DR exsudatif :** HTA, HTA gravidique, DMLA.
- **DR tractionnel :** rétinopathie diabétique.

DIAGNOSTIC CLINIQUE DU DR RHÉGMATOGÈNE

FDR : « MACULAIRS »
- **Myopie forte**.
- **A**phakie, pseudo-phakie.
- **Contusion**, **chir**,
- **U**véite postérieure.
- **L**ésions rétiniennes dégénératives.
- **A**TCD de DR.
- **I**diopathique.
- **R**étinopathie diabétique.
- **Sénile**.

SF
- ① Phosphènes : déchirure.
- ② Myodesopsies, photopsies : décollement postérieur du vitré.
- ③ Amputation du CV : voile noir mobile controlatéral à la rétine soulevée : constitution du DR.
- + Métamorphopsies, BAV si atteinte maculaire.

SP
- FDR.
- FO après dilatation pupillaire en l'absence de CI :
  - vitré : clair ou hémorragique
  - rétine :
    - pôle postérieur de l'œil : macula : soulevée ou non,
    - rétine périphérique au V3M :
      - rétine mobile, en relief, cérébriforme,
      - +/- déchirure, givre, palissade, trou.
- CV par confrontation : amputé.

TRAITEMENT

- Urgence fonctionnelle.
- Hospitalisation.

Chirurgical curatif :
- Cryoapplication.
- Indentation sclérale en regard de la déchirure pour obturer la déhiscence et diminuer les tractions du vitré.

Préventif :
- Photocoagulation au laser d'Argon des lésions prédisposantes.
- CI des sports violents, lunettes protectrices.

ANOMALIE DE LA VISION D'APPARITION BRUTALE

HÉMORRAGIE INTRA-VITRÉENNE (HIV)

DÉFINITION

Hémorragie d'un vaisseau rétinien normal par déchirure ou d'un néovaisseau qui remplace le vitré.

DIAGNOSTIC CLINIQUE D'UNE HIV

Étiologies (en dehors du traumatisme)
- RD proliférante.
- O(B)VCR ischémique.
- Déchirure rétinienne.
- Syndrome de Terson (hémorragie méningée).

SF
- BAV brutale, unilatérale, variable.
- Myodésopsies.

SP
- FO non visible : diagnostic positif.

Examens complémentaires
- Écho B : éliminer un DR.

TRAITEMENT

- Préventif : photocoagulation laser des territoires ischémiques.
- Curatif : surveillance de la résorption spontanée. Chirurgical : vitrectomie.

HYALITE

DÉFINITION

Inflammation du vitré « monté en neige », de la choroïde, +/- de la rétine si uvéite postérieure.

DIAGNOSTIC CLINIQUE D'UNE HYALITE

SF

BAV rapidement progressive.

SP

FO non visible, vitré « monté en neige », cellules inflammatoires dans le vitré.

TOXOPLASMOSE OCULAIRE

DÉFINITION

Chorio-étinite récidivante.

DIAGNOSTIC CLINIQUE D'UNE TOXOPLASMOSE OCULAIRE

SF
- BAV.
- Myodésopsies.

SP

FO : foyers blanchâtres actifs ou cicatriciels.

BILAN ET TRAITEMENT

- Sérologies : toxoplasmose (IgM,IgG), VIH.
- Traitement antiparasitaire urgent si risque visuel.

ÉVALUATION DE LA GRAVITÉ ET RECHERCHE DES COMPLICATIONS PRÉCOCES : CHEZ UN TRAUMATISÉ CRANIOFACIAL

TRAUMATISMES OCULAIRES PERFORANTS, CONTUSIFS, PALPÉBRAUX, PAR CORPS ÉTRANGERS

OBJECTIF

- Identifier les situations d'urgence.

OBJECTIFS (Collège des ophtalmologistes universitaires de France)

- Connaître les principales lésions observées au cours des contusions oculaires.
- Connaître le pronostic des plaies perforantes du globe.
- Savoir suspecter et reconnaître un corps étranger intra-oculaire.

Vous êtes appelé un samedi soir pour un homme de 60 ans qui a reçu un corps étranger à grande vitesse dans l'œil droit. Il bricolait chez lui lorsqu'il a reçu un éclat de bois qu'il découpait à la scie circulaire. Il n'a pas d'antécédent particulier et fume un paquet de cigarettes par jour depuis l'âge de 20 ans. Il n'a pas vu de médecin depuis plus de 20 ans. Il est très déçu de ne pas avoir terminé son bricolage, lui qui n'avait même pas pris le temps de déjeuner pour finir plus rapidement. À l'examen, il voit la main bouger à droite et son acuité visuelle est de 10/10e à gauche. Il existe sur la cornée une ulcération centrale prenant la fluorescéine bien visible à l'œil nu avec en regard une coulure qui lave la fluorescéine. L'iris est déformé, vous notez du sang dans la partie inférieure entre la cornée et l'iris et un reflet très blanc dans l'aire pupillaire.

1. *Faites l'analyse séméiologique du texte.*
2. *En quoi le fait qu'il n'ait pas déjeuné a son importance ?*
3. *Quel diagnostic suspectez-vous ? Quels sont les gestes à proscrire dans ce contexte traumatique ?*
4. *Quels examens complémentaires pré-thérapeutiques réalisez-vous en urgence ?*
5. *Quelles sont les grandes lignes de votre prise en charge thérapeutique ?*
6. *Quel est le risque immédiat de ce type de traumatisme ?*
7. *Il existe un corps étranger intra-vitréen que vous enlevez secondairement et un décollement de rétine. Quel(s) examen(s) vous ont permis de faire cette constatation ?*
8. *De quel type de décollement s'agit-il ?*
9. *Quelles mesures de prévention donnez-vous à votre patient avant sa sortie ?*

LIENS TRANSVERSAUX

Item 6 : Le dossier médical. L'information du malade. Le secret médical.
Item 187 : Anomalie de la vision d'apparition brutale.
Item 212 : Œil rouge et/ou douloureux.
Item 293 : Altération de la fonction visuelle.
Item 304 : Diplopie.

TRAUMATISMES OCULAIRES PERFORANTS, CONTUSIFS, PALPÉBRAUX, PAR CORPS ÉTRANGERS

DIAGNOSTIC CLINIQUE DE GRAVITÉ

① Urgence vitale ?
② Urgence fonctionnelle visuelle ?

Un principe : ne pas « vider » un globe perforé !
→ Sont CI en cas de traumatisme perforant :
- TO à aplanation ;
- FO au V3M.

INTERROGATOIRE

- Contexte : heure, mécanisme, type de CE, accident de travail.
- VAT, ATCD, TTT.
- Heure du dernier repas.

SF

- BAV +++.
- Diplopie +++.
- Douleurs.
- Photophobie.
- Myodesopsies
- Phosphènes.
- Altération du CV.

SP

→ Schéma daté et signé (médico-légal)
- Intégrité du globe.
- Cadre orbitaire : fracture.
- Oculomotricité extrinsèque, intrinsèque.
- Exo-, enophtalmie.
- Annexes : motilité des paupières, CE sous-palpébral, perméabilité des canaux lacrymaux.
- AV : de loin, de près des 2 yeux (médicolégal).
- LAF dans les 4 positions du regard, + fluo/lumière bleue :
  - conjonctive : hémorragie, CE, plaie ;
  - cornée : sensibilité, Seidel (l'humeur acqueuse lave la fluorescéine = traumatisme perforant), CE, plaie, kératite, ulcère, œdème, précipités rétrodescémétiques ;
  - CA : hyphéma, CE, tyndall, asymétrie de profondeur, angle iridocornéen, hypopion ;
  - iris : hernie irienne ;
  - cristallin : cataracte traumatique, plaie, subluxation, luxation ;
  - +/- tonus oculaire ;
  - FO : Vitré : HIV, CE ;
  - rétine : hémorragie, CE, déchirure, DR, œdème (de Berlin) ;
  - choroïde : hémorragie, CE, plaie ;
  - œil adelphe : ophtalmie sympathique.

TYPES

PERFORANT : → SEIDEL +

- Minime :
  - cornéen ;
  - scléral (peut masquer un CEIO, peut être masqué par une hémorragie conjonctivale).
- Grave évident.

PALPÉBRAL : → INTÉGRITÉ DU GO ?

- Plaies parallèles, à distance du bord libre : bénignes.
- Plaies perpendiculaires du bord libre : à suturer soigneusement.
- Plaies proches de l'angle interne :
- → canaux lacrymaux supérieur et inférieur.
- Paupière supérieure :
- → releveur de la paupière.

CONTUSIF

- Segment antérieur : → Pas de BAV (sauf si dans l'axe visuel).
  - conjonctive : hémorragie sous conjonctivale : plaie sclérale ?, CE ? ;
  - cornée : érosion, ulcère ;
  - chambre antérieure : hématocornée, hyphéma ;
  - iris : iridodialyse, rupture sphinctérienne, mydriase ;
  - cristallin : subluxation, luxation, cataracte ;
  - HTIO.
- Segment postérieur : → BAV
  - œdème de Berlin au pôle postérieur ;
  - déchirure rétinienne périphérique ;
  - HIV ;
  - rupture choroïdienne.
- Rupture du globe au limbe.

→ Hypotonie, HIV, hémorragie conjonctivale.

ÉVALUATION DE LA GRAVITÉ ET RECHERCHE DES COMPLICATIONS PRÉCOCES : CHEZ UN BRÛLÉ

BRÛLURES OCULAIRES

OBJECTIF

- Identifier les situations d'urgence.

OBJECTIFS (Collège des ophtalmologistes universitaires de France)

- Connaître les principales circonstances de survenue des brûlures oculaires.
- Connaître la gravité respective des brûlures thermiques, basiques et acides.
- Savoir évaluer et classifier la gravité initiale.
- Savoir effectuer les premiers gestes d'urgence.

Une femme de ménage de l'hôpital consulte aux urgences ophtalmologiques car elle a reçu du liquide de lavage des sols dans l'œil droit il y a une heure. Elle a pour seul antécédent un accident identique survenu il y a un an n'ayant pas laissé de séquelle.
Elle vous dit avoir suivi immédiatement les conseils qu'on lui avait donnés l'année dernière pour ce type d'accident.

1. *Quels sont-ils ?*
2. *Quels gestes réalisez-vous en urgence ?*
3. *Vous voulez examiner votre patiente mais la douleur lui empêche d'ouvrir les yeux. Que faites-vous ? Quelle précaution devez-vous prendre ?*
4. *Comment évaluez-vous la gravité de cette brûlure ? Quel est votre examen clinique ?*
5. *Vous diagnostiquez une brûlure de stade 2 par base. Quel est le pronostic de cette atteinte ? Pouvez-vous vous prononcer sur le pronostic au cours de cette consultation ?*

Après vos bons soins initiaux, vous décidez de poursuivre le traitement à domicile et de la revoir dans 24 heures.

6. *Si le produit avait été acide, votre délai de surveillance aurait-il été le même ? Pourquoi ?*
7. *Finalement, l'évolution de cette brûlure est plutôt favorable. Que n'avez-vous pas omis de faire étant donné le contexte ? Quelles sont les modalités de cette déclaration ?*

LIENS TRANSVERSAUX

Item 6 : Le dossier médical. L'information du malade. Le secret médical.
Item 66 : Thérapeutiques antalgiques, médicamenteuses et non médicamenteuses.
Item 67 : Anesthésie locale, loco-régionale et générale.
Item 187 : Anomalie de la vision d'apparition brutale.
Item 212 : Œil rouge et/ou douloureux.

BRÛLURES OCULAIRES

PHYSIOPATHOLOGIE

Risque de désépithélialisation : pH < 2,5 ou pH > 7.

CIRCONSTANCES DE SURVENUE

- Accidents industriels : risque de brûlures graves.
- Accidents domestiques : risque de brûlures graves si bases.
- Agressions : produits alcalins potentiellement dangereux.

ÉVALUATION DE LA GRAVITÉ SELON LE TYPE DE BRÛLURE

THERMIQUES

- Rarement graves.
- Lésion épithéliales localisées +/- stromales.
- Cicatrisation rapide sans séquelles.
- Risques d'atteintes des voies lacrymales et des paupières si brûlure par incendie.

ACIDES

- Gravité modérée à moyenne.
- Faible pénétration si acide faible ou peu dilué car épithélium intact.
- Plus grave si pH < 2,5.
- Pronostic à J0.

BASES

- Graves.
- Pénétration rapide et prolongée dans les tissus sous-épithéliaux car épithélium détruit.
- Pronostic non évaluable à J0.

Acide ou base ? → Bandelettes de pH.

CLASSIFICATION CLINIQUE DE LA GRAVITÉ INITIALE (ROPPER-HALL)

Grades et pronostics	Désépithélialisation cornéenne	Atteinte stromale : opacité cornéenne	Ischémie de la conjonctive limbique
1 très bon	isolée	-	-
2 bon	+	+ détails iriens visibles	+ < 1/3
3 réservé	+	+ détails iriens non visibles	+ > 1/3 ; < 1/2
4 péjoratif	+	+ structures du segment antérieur non visibles	+ > 1/2

ŒIL ROUGE ET/OU DOULOUREUX

OBJECTIFS

- Diagnostiquer un œil rouge et/ou douloureux.
- Identifier les situations d'urgence et planifier leur prise en charge.

Cas clinique 1

Une patiente de 28 ans est admise aux urgences ophtalmologiques pour des douleurs oculaires droites évoluant depuis quelques jours. Elle n'a pas pu consulter dès l'apparition des douleurs car elle était très prise par une mission professionnelle de grande importance. Ses douleurs sont superficielles et peu intenses. Elle vous dit moins bien voir de l'œil droit. Vous retrouvez dans ses antécédents des poussées d'herpès labial lors de périodes de stress. Elle ne prend aucun traitement.

1. *Quelles sont vos hypothèses diagnostiques ?*

Vous mettez en évidence une ulcération cornéenne droite prenant la fluorescéine dendritique et un phénomène de Tyndall en chambre antérieure.

2. *Quel est votre diagnostic complet ? Justifiez.*
3. *Décrivez votre examen clinique et les anomalies que vous vous attendez à trouver.*
4. *Quel(s) examen(s) complémentaire(s) réalisez-vous pour confirmer votre diagnostic ?*
5. *Quelle est votre prise en charge thérapeutique immédiate ?*
6. *Votre externe vous suggère un traitement par corticoïde pour diminuer les signes inflammatoires en chambre antérieure. Quand pensez-vous ?*
7. *Votre patiente vous interroge sur le diagnostic ophtalmologique et sur son étiologie. Quelle information lui donnez-vous ? Expliquez en quelques phrases simples.*

Cas clinique 2

Un homme de 40 ans consulte en urgence pour un œil droit rouge et douloureux depuis 24 heures. Il est carrossier, d'origine caucasienne et a pour seul antécédent des douleurs de hanches récidivantes, « tantôt à droite, tantôt à gauche ». Il se plaint également d'un flou visuel de l'œil droit apparu le matin même. Vous notez dans ses antécédents familiaux un glaucome chronique à angle ouvert chez son père.

1. *Quelles sont vos hypothèses diagnostiques à ce stade ? Hiérarchisez et justifiez.*
2. *À l'examen, l'acuité visuelle est de 5/10e P4 à droite et 10/10e P2 à gauche. Compte tenu de la profession de ce monsieur, que devez-vous éliminer à l'interrogatoire et à l'examen clinique ?*

Vous éliminez effectivement ce diagnostic et vous orientez vers une première poussée d'uvéite antérieure aiguë droite.

3. Décrivez votre examen à la lampe à fente.
4. Vous décidez de traiter votre patient par mydriatiques et corticoïdes locaux. Quelle donnée importante de l'examen ophtalmologique manque-t-il compte tenu des antécédents du patient, de son atteinte ophtalmologique et du traitement prévu ? Justifiez.
5. Quel est l'intérêt de traiter ce patient par collyres mydriatiques ?
6. Il vous interroge sur les causes de son uvéite et les risques évolutifs. Que lui répondez-vous ?

Cas clinique 3

Un patient de 25 ans vous est adressé en urgence par le service de psychiatrie car il présente des douleurs insomniantes intenses de l'œil gauche l'ayant réveillé en pleine nuit. Il est actuellement hospitalisé pour un syndrome délirant aigu pour lequel il a été mis sous neuroleptiques. Vous notez comme seul antécédent oculaire le port de lunettes depuis l'enfance. Il n'a pas d'antécédent général particulier, notamment pas de notion de prise de toxiques ou autre médicaments.
L'examen est rendu difficile par l'impossibilité de station assise secondaire à des nausées et vomissements contemporains des douleurs. Il se plaint également d'une baisse d'acuité visuelle de son œil gauche.

1. Devant ces symptômes, quels sont les diagnostics à envisager ? Lequel est le plus probable ?
2. Vous interrogez votre patient sur ses douleurs ; quelle réponse attendez-vous ?
3. Vous remarquez un cercle périkératique et une chambre antérieure étroite. Citez trois autres signes fondamentaux ophtalmologiques orientant votre diagnostic.
4. Quel signe général non mentionné dans le texte pouvez-vous retrouver ?
5. Quels sont les facteurs favorisant cette affection présents dans le texte ?
6. Quelles sont les grandes lignes de votre traitement curatif pour l'œil gauche ?
7. Quelles mesures préventives prenez-vous ?
8. Que faites-vous du traitement par neuroleptique, à la phase aiguë, une fois le problème oculaire résolu ?

LIENS TRANSVERSAUX

Item 66 : Thérapeutiques antalgiques, médicamenteuses et non médicamenteuses.
Item 112 : Réaction inflammatoire : aspects biologiques et cliniques. Conduite à tenir.
Item 116 : Pathologies auto-immunes : aspects épidémiologiques, diagnostiques et principes de traitement.
Item 118 : Maladie de Crohn et rectocolite hémorragique.
Item 124 : Sarcoïdose.
Item 174 : Prescription et surveillance des anti-inflammatoires stéroïdiens et non stéroïdiens.
Item 181 : Iatrogénie. Diagnostic et prévention.
Item 187 : Anomalie de la vision d'apparition brutale.
Item 282 : Spondylarthrite ankylosante.
Item 293 : Altération de la fonction visuelle.

ŒIL ROUGE ET/OU DOULOUREUX

DÉFINITION

Atteinte du segment antérieur : cornée, chambre antérieure, iris, angle iridocornéen, conjonctive, sclère (en dehors des corps étrangers et des traumatismes oculaires).

INTERROGATOIRE

- ***ATCD :*** oculaires, généraux.
- ***Traitements :*** oculaires (**lentilles**), généraux.
- ***Notion de traumatisme***, même minime.
- ***SF :*** douleur (superficielle ou profonde, irradiation), rougeur oculaire (localisé ou diffuse), BAV.

SP

Examen ophtalmologique bilatéral et comparatif.

LAF :
- Cils : trichiasis,
- Paupières :
  - bord libre : blépharite, ectropion, entropion ;
  - face externe : lésions de grattage, œdème, eczéma ;
  - conjonctive :
    - tarsale (éversion de la paupière supérieure) : follicules, papilles,
    - bulbaire : follicules, hyperhémie ;
  - cornée (+ fluorescéine et lumière bleue) : sècheresse oculaire, kératite, ulcération, taic, œdème ;
  - chambre antérieure : profondeur : étroite = GAFA ;
  - signes d'inflammation : tyndall, précipités rétrodescémétiques = uvéite antérieure ;
  - RPM :
    - mydriase semi-réactive : GAFA,
    - myosis : uvéite antérieure, kératite aiguë,
    - synéchies iridocristalliniennes : uvéite antérieure ;
  - iris – gonioscopie : angle iridocornéen fermé = GAFA ;
  - cristallin.
- AV : de près, de loin, des 2 yeux.
- Orbitopathie dysthyroïdienne.
- Mobilité oculaire au doigt.
- Tonus oculaire (TO) :
  - GAFA : très élevé ;
  - uvéite antérieure : élevé ou normal ou abaissé ;
  - autres : normal.
- FO après dilatation pupillaire en l'absence de CI :
  - vitré : hyalite : uvéite intermédiaire ;
  - rétine ;
  - pôle postérieur :
    - excavation papillaire : conséquences du GAFA, vascularite : uvéite postérieure,
    - œdème maculaire : uvéite postérieure.
- Rétine périphérique au V3M : rétinite : uvéite postérieure.

ÉTIOLOGIES

ŒIL ROUGE

- **Douloureux :**
  - avec BAV :
    - kératite aiguë,
    - GAFA, GNV,
    - uvéite antérieure aiguë ;
  - sans BAV : épisclérite, sclérite.
- **Indolore sans BAV :**
  - conjonctivite ;
  - hémorragie sous-conjonctivale.

CONJONCTIVITE, ÉPISCLÉRITE, SCLÉRITE

DÉFINITION

Conjonctivite : inflammation de la muqueuse conjonctivale, palpébrale et/ou bulbaire.

DIAGNOSTIC CLINIQUE DE CONJONCTIVITE

INTERROGATOIRE

- ATCD : atopie.
- Contexte : cosmétique, collyre récent, virose, contage.
- SF : gêne superficielle (grains de sable), rougeur conjonctivale, prurit, larmoiement.

SP : EXAMEN BILATÉRAL ET COMPARATIF

- LAF :
  - conjonctive : bulbaire (hyperhémie conjonctivale diffuse) ; tarsale (éverser les paupières +++ : papilles, follicules) ; sécrétions dans le cul-de-sac inférieur ;
  - rechercher un syndrome sec : *break up time* (rupture du film lacrymal coloré par de la fluorescéine < 10 s) : phase lipidique insuffisante ; test de Schirmer (+ si < 5 mm en 5 min) : phase aqueuse insuffisante.
- Cutané : eczéma palbébral atopique ou de contact.
- Général : adénopathies prétragiennes, rhinite, pharyngite, fièvre.

ÉTIOLOGIES DES CONJONCTIVITES

- Infectieuse (contagiosité +++) :
  - virale à adénovirus : sécrétions claires, adénopathies prétragiennes ;
  - bactérienne : sécrétions mucopurulentes, rougeur prédominant dans le cul-de-sac inférieur.

Cp. : *Chlamydiae trachomatis* : trachome prévenu à la naissance par collyre de rifamycine systématique, 2e cause de cécité dans le monde par complications cornéennes sévères.

- Allergique :
  - pollinique : atopie, follicules ;
  - printanière : enfant, papilles volumineuses ;
  - blépahroconjonctivite allergique : eczéma palpébral de contact (cosmétique, collyre) + conjonctivite.
- Syndrome sec :
  - iatrogène : neuroleptiques, antidépresseurs tricycliques ;
  - Goujerot-Sjogren, sarcoïdose.

TRAITEMENT AMBULATOIRE

- Lavage au sérum physiologique oculaire unidose pluriquotidien.
- Étiologique : collyre antibiotique à large spectre si bactérienne avec signes de gravité ou sur terrain à risque ; larmes artificielles : aqueuses et/ou lipidiques si syndrome sec.

ÉPISCLÉRITE

- Souvent idiopathique.
- Douleur modérée, rougeur ne disparaissant pas à la mobilisation de la conjonctive mais disparaissant à l'instillation de collyres vasoconstricteurs.
- Traitement : AINS locaux.

SCLÉRITE

- Idiopathique, inflammatoire (polyarthrite rhumatoïde, Wegener), infectieuse (HSV, BK).
- Douleur insomniante, rougeur profonde localisée ou diffuse ne disparaissant pas à l'instillation de collyres vasoconstricteurs, œdème scléral.
- Traitement : AINS locaux et généraux, collyres corticoïdes sauf si herpétique, étiologique.

KÉRATITE AIGUË

DÉFINITION

Perte de substance de l'épithélium cornéen mettant à nu les terminaisons nerveuses.

DIAGNOSTIC CLINIQUE

SF

- Douleurs : superficielles, photophobie, blépharospasme.
- Rougeur : d'apparition brutale, diffuse.
- BAV : variable selon la topographie de l'atteinte par rapport à l'axe visuel.

SP : BILATÉRAL ET COMPARATIF

- AV : de près, de loin, des 2 yeux : variable.
- LAF :
  - conjonctive : hyperhémie ;
  - cornée (+ fluorescéine et lumière bleue) : sensibilité abolie si herpétique, cercle périkératique aspécifique, diminution de la transparence de la cornée, perte de substance prenant la fluorescéine (ponctuée superficielle [KPS] : viral, syndrome sec ; unique : bactérienne ; dendritique : herpétique) ;
  - chambre antérieure : hypopion possible si bactérienne.

ÉTIOLOGIES

- Infectieuse : favorisée par le port de lentilles :
  - virale (adénovirus, **herpès**, zona), **bactérienne**, parasitaire, mycosique.
- Syndrome sec.
- Inocclusion palpébrale (PFP).

EXAMEN COMPLÉMENTAIRES

- Aucun si diagnostic évident.
- Prélèvements locaux, des lentilles de contact et du produit de conservation pour examens bactériologique, mycologique, cytologique.

TRAITEMENT URGENT

Ambulatoire ou hospitalier selon gravité, compliance et environnement.

KÉRATITE HERPÉTIQUE

- Étiologique : antiviral.
- Local : aciclovir pommade.
- Ou général : valaciclovir *per os*.
- Symptomatique :
  - occlusion 24 h ;
  - collyre cycloplégique antalgique.
- Surveillance régulière, notamment sensibilité cornéenne.

KÉRATITE BACTÉRIENNE

- Étiologique : collyre antibiotique : /h au début +/- fortifiés.
- Symptomatique :
  - occlusion 24 h ;
  - pommade cicatrisante : vitamine A ;
  - collyre cycloplégique antalgique.
- Surveillance régulière, notamment sensibilité cornéenne.

UVÉITE ANTÉRIEURE AIGUË

DÉFINITION

Uvéite antérieure = iridocyclite = inflammation de l'uvée antérieure = iris + corps ciliaire (procès ciliaires et pars plana).

DIAGNOSTIC CLINIQUE

INTERROGATOIRE

- Âge.
- ATCD :
  - oculaires : poussées antérieures (récidivant, à bascule),
  - généraux : rhumatologiques : arthrite (spondylarthropathie) ; génitaux : urétrite (Feissinger-Leroy-Reiter), aphtose bipolaire, origine méditerranéenne (Behçet), chancre (syphilis) ; digestifs (MICI) ; ORL : sinusite, infections buccodentaires (Wegener) ; pulmonaires : sarcoïdose, BK ; VIH.
- Traitements : oculaires (corticothérapie locale) ; généraux.

SF

- BAV : variable selon la gravité.
- Douleurs : profondes, photophobie.
- Rougeur : d'apparition brutale, hyperhémie conjonctivale.

SP : BILATÉRAL ET COMPARATIF

- AV : de près, de loin, des 2 yeux : variable, souvent ↓.
- LAF : conjonctive : hyperhémie.
  - cornée (+ fluorescéine et lumière bleue) : cercle périkératique aspécifique, transparence normale ;
  - chambre antérieure : profondeur : normale, signes d'inflammation : tyndall, précipités rétrodescémétiques = uvéite antérieure ;
  - RPM : myosis aréactif ;
  - synéchies iridocristalliniennes déformant l'iris.
- Gonioscopie : angle iridocornéen ouvert.
- Tonus oculaire (TO) : élevé (GCAO cortisonique ou synéchies iridocristalliniennes) ; normal ou abaissé.
- FO après dilatation pupillaire en l'absence de CI :
  - vitré : hyalite : uvéite intermédiaire ;
  - rétine : pôle postérieur (vascularite : uvéite postérieure, œdème maculaire : uvéite postérieure).
- Rétine périphérique au V3M : choroïdite, rétinite : uvéite postérieure.

ÉTIOLOGIES

- Idiopathique : 30-50 %.
- Locales.
- Générales :
  - infectieuses : herpès, BK, syphilis ;
  - inflammatoires : sarcoïdose, spondylarthropathies, MICI, Maladie de Behçet, Wegener

EXAMENS COMPLÉMENTAIRES

Orientés par le diagnostic clinique.

OPHTALMOLOGIQUES

- Angiographie du FO à la fluorescéine : si doute sur une uvéite postérieure.

NON OPHTALMOLOGIQUES

- Syndrome inflammatoire : NFS, VS-CRP.
- ECA, calcémie.
- Sérologies : TPHA-VDRL, VIH.
- Typage HLA.
- IDR à la tuberculine.
- Radio : thoracique ± sacro-iliaques.

TRAITEMENT URGENT

Ambulatoire ou hospitalier selon gravité.

- Symptomatique :
  - corticothérapie locale d'attaque puis dégressive en l'absence de CI (ulcère cornéen, infections oculaires non traitées) +/- *per os* ;
  - collyre cycloplégique antalgique et préventif des synéchies iridocristalliniennes : atropine ;
  - collyres hypotonisants si HTIO.
- Étiologique : si retrouvée.
- Surveillance régulière (notamment TO) + rassurer et informer : récidives possibles, signes d'alarme.

GLAUCOME AIGU PAR FERMETURE DE L'ANGLE (GAFA)

DÉFINITION

Obstacle à la résorption de l'humeur aqueuse à travers le trabéculum des canaux de Schlemm dans l'angle iridocornéen par **blocage pupillaire** aigu en mydriase.

DIAGNOSTIC CLINIQUE

INTERROGATOIRE

- ATCD oculaires : hypermétropie, cataracte.
- FDR mydriatiques :
  - sympathomimétiques ;
  - TTT, douleur, froid, obscurité, post-op.
- Parasympatholytiques : TTT locaux, généraux.

SF

- Douleur : brutale, intense, profonde, irradiant dans le territoire du V, unilatérale.
- Rougeur : brutale unilatérale.
- BAV : flou visuel brutal et massif.
- Phosphènes, halos.
- Nausées, vomissements, sueurs, bradycardie.

SP : EXAMEN BILATÉRAL ET COMPARATIF

- AV : de près, de loin, des 2 yeux : BAV unilatérale.
- LAF : Conjonctive : hyperhémie diffuse ; cornée (+ fluorescéine et lumière bleue) : œdème
  - chambre antérieure : étroite ;
  - RPM : mydriase semi-réactive ;
  - iris – gonioscopie : angle iridocornéen fermé.
- Tonus oculaire (TO) très élevé : > 50 mmHg, souvent > 60 mmHg, globe dur à la palpation bi-digitale.
- FO SANS dilatation pupillaire : excavation papillaire possible, conséquences du GAFA, d'un GC méconnu.
- Œil adelphe : FDR anatomiques : hypermétropie, CA étroite, angle IC étroit, épaississement cristallinien, longueur axiale antéropostérieure faible.

EXAMENS COMPLÉMENTAIRES

AUCUN ne doit retarder le traitement

- Préthérapeutique : NFS, glycémie, urée, créatinine, hémostase, ECG.

TRAITEMENT

Urgence fonctionnelle (risque de cécité), hospitalisation en ophtalmologie

- **Symptomatique immédiat :**
  - hypotonisants oculaires :
    - généraux : mannitol 20 % IVL en l'absence de CI, puis acétazolamide IVL puis *per os* en l'absence de CI (+ supplémentation potassique),
    - puis locaux une fois le blocage pupillaire levé : collyres parasympathomimétiques : pilocarpine 2 % dans l'œil atteint jusqu'au myosis et dans l'œil adelphe. Collyres bêtabloquant dans l'œil atteint,
  - antalgiques IV puis *per os* ; anti-émétiques IV, anxiolytiques : benzodiazépines.
- **Étiologique :** arrêt de tous les facteurs mydriatiques +++.
- Préventif des récidives :
  - laser : iridotomie bilatérale ;
  - si échec : chirurgie : iridectomie périphérique.
- **Éducation :** CI de l'automédication, des mydriatiques en l'absence d'iridotomie périphérique préventive.
- **Surveillance** régulière, notamment gonioscopie, TO, FO, CV, kaliémie.

GLAUCOME CHRONIQUE

OBJECTIFS

- Diagnostiquer un glaucome chronique.
- Argumenter l'attitude thérapeutique et planifier le suivi du patient.

Ophtalmologiste à Brest, vous recevez une patiente de 45 ans pour une gêne à la lecture de près évoluant depuis un an environ. Elle est libraire et est obligée d'éloigner les livres pour pouvoir lire. Vous pensez à un début de presbytie et décidez de l'examiner pour corriger ses troubles.

1. Décrivez votre examen clinique. 2007

Vous trouvez une acuité visuelle à 10/10 P3 sans correction et P2 avec une addition de + 1 dioptries. Le tonus oculaire est à 25 mmHg à droite et de 26 mmHg à gauche. L'angle iridocornéen est libre.

2. Qu'en pensez-vous ? Décrivez les anomalies du fond d'œil compatibles avec ses constatations. 2007

Vous reprenez l'interrogatoire de votre patiente qui vous dit que son père est traité depuis l'âge de 40 ans par des « gouttes pour faire baisser la tension ». Elle a pour seul antécédent une maladie de Raynaud évoluant depuis ses 18 ans.

3. Quels éléments vous confortent dans votre diagnostic de glaucome chronique à angle ouvert idiopathique ? Que recherchez-vous afin d'éliminer un glaucome secondaire ?

La pachymétrie objective une épaisseur cornéenne normale, le champ visuel objective un ressaut nasal bilatéral et il s'agit effectivement d'un GCAO idiopathique.

4. Quelle est votre prise en charge thérapeutique ? Quelle classe médicamenteuse est la plus adaptée en première intention chez cette patiente ? 2007

Vous lui prescrivez également une paire de lunettes pour améliorer sa vision de près. Elle vous interroge sur l'intérêt d'un traitement alors que les lunettes lui « suffisent pour mieux voir ».

5. Que lui dites-vous ?

6. Quelle est votre surveillance ? 2007

LIENS TRANSVERSAUX

Item 54 : Vieillissement normal : aspects biologiques, fonctionnels et relationnels. Données épidémiologiques et sociologiques. Prévention du vieillissement pathologique.
Item 60 : Déficit neurosensoriel chez le sujet âgé.
Item 181 : Iatrogénie. Diagnostic et prévention.
Item 233 : Diabète sucré de type 1 et 2 de l'enfant et de l'adulte.
Item 293 : Altération de la fonction visuelle.

GLAUCOME CHRONIQUE À ANGLE OUVERT (GCAO)

DÉFINITION

Neuropathie optique progressive avec altération caractéristique du champ visuel et excavation papillaire potentiellement cécitante à terme. Triade : ↑ PIO + excavation papillaire + altérations du CV.

ÉPIDÉMIOLOGIE

FACTEURS DE RISQUE

- HTIO.
- Âge > 40 ans.
- ATCD familiaux de GCAO.
- Fdrcv, HTA, hypotension, vasospasme.
- Diabète.
- Origine ethnique : noirs, bretons.

GCAO SECONDAIRES

- Corticothérapie au long court, locale ou générale.
- Myopie forte.
- Inflammation chronique.
- Pigmentaire.
- Pseudo-exfoliatif.

DIAGNOSTIC CLINIQUE

SF

- Dépistage dès 40 ans par mesure du TO et FO/an.

Puis :

- Altération progressive du CV : nasal → vision tubulaire.
- BAV tardive.

SP

- TO : élevé dans 75 % des cas (ni nécessaire ni suffisant).
- Gonioscopie au V3M : angle iridocornéen ouvert.
- FO : papille excavée (c/d > 0,3), pâle, hémorragies en flammèches. Vaisseaux : rejetés en nasal.
- + /- signes de GCAO secondaire.

EXAMENS COMPLÉMENTAIRES

- Pachymétrie : épaisseur de la cornée.
- CV automatisé : évolution parallèle à l'altération des fibres optiques : peut être normal, ressaut nasal, scotome arciforme de Bjerrum, croissant temporal, îlot central de vision.

TRAITEMENT AMBULATOIRE ÉTIOLOGIQUE ET SYMPTOMATIQUE DE L'HYPERTONIE

Traitement médical hypotonisant à vie en l'absence de CI (agir sur l'humeur aqueuse : ↓ production et/ou ↑ résorption).

- Monothérapie locale : bêtabloquants (↓ production), analogues des prostaglandines (↑ résorption), +/- prostamine (↑ résorption).
- *Si échec, autre monothérapie locale :* analogues des prostaglandines, inhibiteurs de l'anhydrase carbonique (↓ production), alpha2mimétiques (↑ résorption).
- Si échec, bithérapie locale : bêtabloquants + analogues des prostaglandines ou inhibiteurs de l'anhydrase carbonique.
- *Si échec :* trithérapie locale +/- acétazolamide *per os*.

Traitement chirurgical (↑ résorption) : après échec du traitement médical :

- Laser : trabéculoplastie.
- Chirurgie filtrante : perforante = trabéculectomie ; non perforante = sclérectomie profonde.

SURVEILLANCE À VIE

(objectif : ↓ TO de 30 % de la valeur initiale, pas d'altération du CV)

- Bilatérale et comparative, adaptée à la réponse au traitement.
- Clinique : TO et FO/6 mois.
- Paraclinique : CV automatisé/an.

HYPERTHYROÏDIE
OPHTALMOPATHIE DYSTHYROÏDIENNE

OBJECTIFS

- Diagnostiquer une hyperthyroïdie.
- Argumenter l'attitude thérapeutique et planifier le suivi du patient.

OBJECTIFS (Collège des ophtalmologistes universitaires de France)

- Savoir évoquer une exophtalmie basedowienne sur ses caractéristiques cliniques.
- Connaître les complications oculaires de la maladie de Basedow.
- Connaître les principes du traitement.
- Connaître les autres causes d'exophtalmie.

Une patiente de 24 ans consulte son médecin traitant car elle trouve son œil droit plus gros que le gauche. Sa mère, qu'elle n'avait pas vue depuis quelques mois, n'a pas manqué de lui faire remarquer qu'elle avait également grossi ces derniers temps. Elle aussi a eu des problèmes de poids étant jeune, résolutifs après un traitement par iode radioactive. Cet œil droit ne lui fait pas mal mais il est très inesthétique. En effet, à l'examen, il existe une protrusion du globe oculaire droit en avant du plancher de l'orbite, sans déviation de l'œil, caractérisée par la découverte discrète du limbe sur 360°. Elle est facilement réductible par une pression douce sur le globe. Le médecin vous adresse sa patiente pour une probable orbitopathie basedowienne.

1. *Quels éléments de l'observation ont permis de suspecter ce diagnostic ? Quels autres éléments recherchez-vous ?*
2. *Que devez-vous néanmoins éliminer devant une exophtalmie unilatérale ?*

Les examens biologiques confirment la dysthyroïdie. Vous décidez une prise en charge initiale médicale.

3. *Quels sont les principaux risques évolutifs ophtalmologiques d'une telle pathologie ? Quels signes fonctionnels doivent alerter votre patiente ?*

Deux ans plus tard, alors que vous l'aviez perdue de vue, elle vient vous voir en urgence car son œil droit lui fait très mal depuis 48 heures. Elle est extrêmement gênée par la lumière et ne peut quasiment plus sortir de chez elle.

4. *Que craignez-vous ? Décrivez votre examen clinique.*
5. *À l'examen, en plus de l'atteinte cornéenne, vous notez une diminution de mouvements de l'œil droit. Qu'en pensez-vous ? Quel examen réalisez-vous, dans quel délai ?*
6. *Vous décidez de l'opérer. Quelles sont les grandes lignes de votre traitement local en attendant la chirurgie ?*

LIENS TRANSVERSAUX

Item 187 : Anomalie de la vision d'apparition brutale.
Item 212 : Œil rouge et/ou douloureux.
Item 248 : Hypothyroïdie.
Item 304 : Diplopie.

OPHTALMOPATHIE DYSTHYROÏDIENNE

DÉFINITION

Maladie de Basedow : hyperthyroïdie d'origine auto-immune responsable de la majorité des ophtalmopathies dysthyroïdiennes par œdème musculaire et adipeux. Leur évolution est indépendante de la dysthyroïdie. 2/3 des maladies de Basedow s'accompagnent de signes ophtalmologiques.

EXOPHTALMIE BASEDOWIENNE NON COMPLIQUÉE (DIAGNOSTIC CLINIQUE)

« À BANIR » : **A**symétrique, **B**ilatérale, **A**xile, **N**on pulsatile, **I**ndolore, **R**éductible (sauf si évoluée).

CONFIRMATION DIAGNOSTIQUE

De l'hyperthyroïdie :
- Clinico-biologique.

De l'ophtalmopathie :
- Clinique : exophtalmomètre de Hertel (protrusion > 18 mm).
- Fonctionnelle : CV, oculomotricité.
- Radiologique : TDM, IRM orbitaires :
  - index oculo-orbitaire : exophtalmie si protrusion > 70 % du globe oculaire ;
  - signes d'ophtalmopathie :
    - stade œdémateux : épaississement musculaire,
    - stade de fibrose : muscles filiformes, rétractés ;
  - diagnostic différentiel : processus tumoral expansif.

DIAGNOSTIC DIFFÉRENTIEL D'UNE EXOPHTALMIE

Bilatérale :
- Autre maladie de système.

Unilatérale :
- Réductible : fistule carotido-caverneuse : douloureuse, pulsatile, souffle orbitaire, brutale.
- Non réductible :
  - inflammatoire : cellulite orbitaire ;
  - tumorale : orbitaire, bénigne ou maligne (rhabdomyosarcome, lymphome, métastase) ; tumeur de voisinage.

COMPLICATIONS OCULAIRES DE LA MALADIE DE BASEDOW (CLASSIFICATION NOSPECS)

- Neuropathie optique → BAV, altération du CV.
- Troubles **O**culomoteurs → Diplopie verticale ou oblique.
- Atteinte des tissus mous (**S**oft tissus) : inflammation palpébrale et conjonctivale → Œdème, rougeur.

- Syndrome oculopalpébral (quasi pathognomonique) :
  - rétraction palpébrale supérieure ;
  - asynergie oculo-palpébrale dans le regard vers le bas.
- **E**xophtamie : typique mais non spécifique.
- Atteintes **C**ornéennes d'exposition (KPS, ulcère, perforation) = décompensation œdémateuse maligne.

+ Hypertonie oculaire majorée dans le regard vers le haut, jusqu'au glaucome chronique à angle ouvert.

TRAITEMENT MÉDICAL

De la dysthyroïdie.
De l'ophtalmopathie (protection cornéenne, hypotonisants oculaires locaux si HTIO, rééducation orthoptique, prismes).

- +/- Corticothérapie générale à forte dose, immunosuppresseurs, plasmaphérèse.
- **Chirurgie seulement après échec du traitement médical** (décompression orbitaire, chirurgie des muscles oculomoteurs si diplopie persistante, chirurgie palpébrale, tarsorraphie exceptionnelle).

RMQ : traitement radical par iode radioactif formellement contre-indiqué : risque de décompensation œdémateuse maligne.

PATHOLOGIE DES PAUPIÈRES

OBJECTIF

- Diagnostiquer et traiter un orgelet, un chalazion.

Vous voyez en consultation une jeune fille de 12 ans pour tuméfaction de la paupière inférieure gauche douloureuse et évoluant depuis 5 jours. Dans ses antécédents, vous apprenez qu'elle est suivie pour un asthme allergique et que depuis quelques mois ses yeux la piquent. À l'examen, vous observez un nodule inflammatoire et douloureux du bord libre de la paupière inférieure gauche.

1. *Quel est votre diagnostic et quel sera votre traitement ?*
2. *Vous la revoyez 3 semaines après car le nodule persiste mais n'est plus douloureux. Quelle prise en charge allez-vous proposer aux parents ?*

Elle revient consulter pour le même problème à plusieurs reprises avec atteinte des deux yeux. Votre collègue qui l'examine cette fois, vous fait remarquer qu'elle se plaint aussi de gonflements intermittents des paupières inférieures depuis presque un an. À l'examen, il note que le bord libre des paupières inférieures est inflammatoire avec issue de meibum très visqueux à la pression. L'examen de la cornée montre une kératite ponctuée superficielle inférieure bilatérale.

3. *Quel diagnostic évoquez-vous ? Justifiez.*
4. *Quelle pathologie associée recherchez-vous ?*
5. *Quel est la prise en charge thérapeutique de cette affection au long cours ?*

LIENS TRANSVERSAUX

Item 54 : Vieillissement normal : aspects biologiques, fonctionnels et relationnels. Données épidémiologiques et sociologiques. Prévention du vieillissement pathologique.
Item 140 : Diagnostic des cancers : signes d'appel et investigations para-cliniques ; stadification ; pronostic.
Item 212 : Œil rouge et/ou douloureux.
Item 233 : Diabète sucré de type 1 et 2 de l'enfant et de l'adulte.
Item 304 : Diplopie.
Item 326 : Paralysie faciale.

PATHOLOGIE DES PAUPIÈRES

BLÉPHARITE

Inflammation et infection palpébrale.
Facteurs favorisants : anomalies de la réfraction (hypermétropie, astigmatisme), diabète, acné, rosacée.

	BLÉPHARITES LOCALISÉES		BLÉPHARITES DIFFUSES CHRONIQUES
	Chalazion	***Orgelet***	
Définition	• Granulome inflammatoire développé aux dépens d'une glande de Meibomus. • Physiopathologie : obstruction de la glande au niveau de la partie postérieure du bord libre de la paupière.	• Infection des glandes pilosébacées de Zeiss. • Furoncle du bord libre de la paupière centré par un cil dû à Staphylocoque aureus.	• Inflammation chronique du bord libre de la paupière. • Rechercher une association à une rosacée oculaire.
Clinique	• Tuméfaction palpébrale : – stade inflammatoire : chaude, rouge et douloureuse ; – stade enkysté : ferme et indolore. • Évolution : résorption spontanée, récidive, enkystement, abcédation.	• Douleur vive. • Œdème palpébral. • Rougeur localisée surmontée d'un point blanc de pus qui se perce après quelques jours. • Évolution possible : favorable spontanément, récidive.	Toute la rangée du bord libre de la paupière est rouge et irritée. • Blépharite antérieure : forme crouteuse agglutinant les cils. • Blépharite postérieure : meibomite.
Traitement	• Médical (15 jours) : soins des paupières (compresse humide chaude, massage des paupières) + pommade antibiotique et corticoïde (2 fois/jour). • Si échec : chirurgie (incision + curetage en période non inflammatoire).	• Ablation du cil + TTT médical (10 jours) : pommade antibiotique et corticoïde (*Sterdex*) ou antibiotique seule (*Fucithalmic*) : 2 fois/jour. • Incision chirurgicale (rarement indiquée).	• Soins des paupières. • Agents mouillants. • Pommade antibiotique si antérieure. • Cyclines si rosacée oculaire associée.

TUMEURS DES PAUPIÈRES

BÉNIGNES		MALIGNES
Congénitales	***Acquises***	*FR : soleil, brûlure, irritation chronique, Xéroderma pigmentosum.*
• Angiome. • Nævus. • Névrome plexiforme (maladie de Recklinghausen).	• Xanthelasmas (hyperlipidémie). • Kystes sébacés. • Verrues. • Papillomes verruqueux. • *Molluscum contagiosum*.	• Carcinome basocellulaire (perlé ou ulcus rodens). • Carcinome spinocellulaire (plus rare, mais plus grave). NB : biopsie au moindre doute.

PATHOLOGIE DES PAUPIÈRES

MALPOSITION DES PAUPIÈRES

	ÉCTROPION	ENTROPION
Clinique	Éversion du bord libre de la paupière, en général de la paupière inférieure.	Déplacement en dedans du bord libre de la paupière (les cils frottent sur le globe oculaire).
Étiologies	• Sénile. • Paralytique (paralysie du VII). • Cicatriciel (brûlure, dermatose, plaie).	• Sénile. • Cicatriciel (trachome, brûlure, pemphigus, plaie).
Complications	• Irritation conjonctivale. • Eczéma de la conjonctive exposée. • Larmoiement (si point lacrymal éversé).	• Kératite ponctuée superficielle. • Ulcération cornéenne. • Abcès de cornée.

PTOSIS

DÉFINITION

Chute de la paupière supérieure qui recouvre le limbe sur plus de 2 mm.

INTERROGATOIRE

- Date de survenue.
- Circonstances de survenue.
- Variabilité dans la journée.
- Signes associés : diplopie...

EXAMEN PHYSIQUE

Il apprécie :
- Niveau de la paupière.
- Uni- ou bilatéralité, symétrique ou asymétrique.
- Mobilité palpébrale.
- Signes associés : oculomotricité et réactivité pupillaire (paralysie du III).

ÉTIOLOGIES

Causes congénitales	*Causes acquises*			
• Anomalie aponévrotique ou musculaire. • Si strabisme associé : risque d'amblyopie fonctionnelle.	• Ptosis neurogène : paralysie du III. • Si paralysie du III douloureuse et brutale : rechercher en urgence une rupture d'anévrysme carotidien.	• Myasthénie : ptosis variable, en fin de journée, lié à la fatigue. • Faire test à la prostigmine et EMG.	• Ptosis sympathique : – Sdr de CBH : ptosis + myosis + énophtalmie. • Causes : – trauma cervical ; – processus expansif de l'apex pulmonaire ; – dissection carotidienne.	• Myogènes : – séniles ; – myopathies dégénérative ; – myotonique (Steinert). • Traumatique : – lésion du releveur de la paupière.

TRAITEMENT

Traitement étiologique systématique + traitement chirurgical si nécessaire.

TROUBLES DE LA RÉFRACTION

OBJECTIFS

- Diagnostiquer un trouble de la réfraction.

Un jeune homme de 18 ans, étudiant en première année de médecine, vient vous voir pour une baisse d'acuité visuelle de loin. En effet, il voit flou les images projetées au tableau lorsqu'il n'est pas au premier rang dans l'amphithéâtre.

1. *Quel diagnostic évoquez-vous ? Quels autres signes fonctionnels peut-il présenter en rapport avec ce diagnostic ?*

À l'examen clinique, l'acuité visuelle sans correction est de 8/10ᵉ P2 des deux côtés, l'examen du segment antérieur à la lampe à fente est normal, de même que le pôle postérieur au fond d'œil.

2. *Ces constatations sont-elles en accord avec votre diagnostic initial ?*
3. *Lors de la détermination de la correction, vous notez une confusion entre les lettres « D » et « O », « K » et « X ». Que suspectez-vous ?*
4. *Quelle est la physiopathologie de cette anomalie ?*
5. *Vous finissez par établir une correction qui semble lui convenir. De quel type de verre s'agit-il ?*

Satisfait du résultat, il ne vous revoit que deux ans plus tard. Il ne supporte plus de porter ses lunettes notamment depuis qu'il joue au rugby dans l'équipe des PCEM 2. Son amétropie est stable.

6. *Quelles solutions pouvez-vous lui proposer ?*

LIENS TRANSVERSAUX

Item 33 : Dépistage des anomalies orthopédiques, des troubles visuels et auditifs.
Item 54 : Vieillissement normal : aspects biologiques, fonctionnels et relationnels. Données épidémiologiques et sociologiques. Prévention du vieillissement pathologique.
Item 60 : Déficit neurosensoriel chez le sujet âgé.
Item 174 : Prescription et surveillance des anti-inflammatoires stéroïdiens et non stéroïdiens.
Item 181 : Iatrogénie. Diagnostic et prévention.
Item 293 : Altération de la fonction visuelle.
Item 304 : Diplopie.
Item 333 : Strabisme de l'enfant.

TROUBLES DE LA RÉFRACTION

DÉFINITION

Réfraction : déviation de la lumière à la rencontre d'une surface séparant deux milieux transparents d'indice différent.

ÉTIOLOGIES

MYOPIE	HYPERMÉTROPIE	ASTIGMATISME	PRESBYTIE
Image en avant de la rétine. • Œil trop **L**ong : myopie axi**L**e. • Œil trop convergent : – myopie d'**IN**dice (cristall**IN** : cataracte nucléaire) ; – myopie de **C**ourbure (**C**ornée conique : kératocône).	Image en arrière de la rétine. • Œil trop court : hypermétropie axile. • Œil pas assez convergent : – hypermétropie de courbure (cornée plane, cicatricielle) ; – hypermétropie d'indice. = facteur de risque de GAFA. *Ex.* : +2 Δ.	Image formée de deux lignes perpendiculaires +/- sur la rétine : perte de sphéricité de la face antérieure de la cornée. Ex. : -1,50 à 90°.	Perte du pouvoir accommodatif du cristallin : progressif de 45 à 65 ans.

RMQ : complications de la myopie maladie (>> - 6 Δ) = FDR glaucome, DR, hémorragie maculaire.

DIAGNOSTIC CLINIQUE DES AMÉTROPIES

SF

Prédominent en fin de journée, après effort visuel : céphalées, larmoiement, picotement, rougeur, flou visuel.

• Flou de loin. • Net de près. • Céphalées. • Presbytie tardive.	• Céphalées en barre sus-orbitaires (réflexe d'accomodation-convergence permanent). • Pseudo-conjonctivite. • Presbytie précoce.	• Modéré : – céphalées ; – rougeur. • Important : – flou de loin et de près ; – diplopie monoculaire.	• BAV progressive de près (allongement des bras pour lire le journal). • Fatigue visuelle de près.

SP

- Réfraction objective : réfractométrie automatique.
- Réfraction subjective : AV subjective de loin (Monnoyer : 10/10e → 0/10e), de près (Parinaud : P2 → P14), des 2 yeux, avec et sans correction +/- sous skiascopie (enfant).
- + À rechercher spécifiquement :

FO : dégénérescences palissadiques.

- Angle iridocornéen.
- Examen sous écran : strabisme convergent alternant.

- LAF : cataracte.
- TO : HTIO.
- FO : GCAO, DMLA.

TRAITEMENT

Correction optique par verre.

Verres sphériques divergents (concaves) : OD = – 2, OG = - 3,50	Verres sphériques convergents (convexes) : OD = + 1,50 ; OG = + 2,75	Verres cylindriques convergents ou divergents	Verres sphériques convexes pour la vision de près (max. : + 3,50)

Autres traitements possibles : lentille de contact, chirurgie réfractive.

ALTÉRATION DE LA FONCTION VISUELLE

OBJECTIF

- Devant une altération de la fonction visuelle, argumenter les principales hypothèses diagnostiques et justifier les examens complémentaires pertinents.

Une patiente âgée de 82 ans, agricultrice à la retraite, est adressée par son médecin car elle voit moins bien. Elle n'a pas de suivi ophtalmologique. La patiente est hypertendue, diabétique de type 2, et vous avoue n'avoir jamais arrêté de fumer en dépit des conseils prodigués par son médecin traitant. Vous trouvez un antécédent de tumeur oropharyngée récente en cours d'exploration.

1. *Hiérarchisez votre interrogatoire pour vous orienter devant cette altération de la fonction visuelle.*

Vous finissez par comprendre qu'il s'agit d'une baisse d'acuité visuelle bilatérale datant de quelque temps déjà.

2. *Quelles sont les hypothèses diagnostiques à évoquer à ce stade ? Justifiez à l'aide des éléments du texte.* [2007]

À l'examen, l'acuité visuelle est de 2/10e à droite et de 1/10e à gauche. La cornée est normale et la chambre antérieure est calme et profonde. L'examen à la lampe à fente après dilatation pupillaire montre une cataracte corticale minime bilatérale. L'examen des fonds d'œil droit et gauche objective une papille pâle, des drusens maculaires, des artères grêles, une accentuation du reflet artériolaire et un signe du croisement.

3. *Interprétez les données de l'examen.* [2006]
4. *Programmez-vous des examens complémentaires ? Si oui, lesquels et pourquoi ?*
5. *L'examen du champ visuel trouve un scotome coeco-central bilatéral. Qu'en pensez-vous ?*
6. *Rédigez le compte rendu de consultation à l'intention du médecin traitant en précisant les problèmes généraux de la patiente à prendre en charge.*

LIENS TRANSVERSAUX

Item 33 : Dépistage des anomalies orthopédiques, des troubles visuels et auditifs.
Item 54 : Vieillissement normal : aspects biologiques, fonctionnels et relationnels. Données épidémiologiques et sociologiques. Prévention du vieillissement pathologique.
Item 60 : Déficit neurosensoriel chez le sujet âgé.
Item 130 : Hypertension artérielle de l'adulte.
Item 187 : Anomalie de la vision d'apparition brutale.
Item 233 : Diabète sucré de type 1 et 2 de l'enfant et de l'adulte.

ALTÉRATION DE LA FONCTION VISUELLE

BAV TRANSITOIRE

Cécité monoculaire transitoire = AIT embolique : bilan étiologique urgent :
- Athérome carotidien → fdrcv, DTSA.
- Cardiopathie emboligène → ECG, écho cœur.
- Insuffisance vertébro-basilaire si bilatérale.

- « Eclipses visuelles » : bilan urgent = HTIC → TDM cérébrale.
- Flash, scotome scintillant = aura migraineuse → critères NIHS +/- examens complémentaires.

BAV PROGRESSIVE

Cataracte.

Rétinienne :
- Dégénérescences héréditaires (ex. : pigmentaires).
- Maculopathies : liées à l'âge (ex. : DMLA), diabétique, toxiques, médicamenteuses (ex. : antipaludéens de synthèse : scotome annulaire périfovéolaire + dyschromatopsie jaune-bleu avant la BAV → dépistage),
- Œdème maculaire.

GCAO.

EXAMENS COMPLÉMENTAIRES

Non systématiques, orientés par le diagnostic clinique.

Ophtalmologiques :
- Fonctions visuelles : CV, vision des couleurs.
- Angiographie du FO à la fluorescéine, au vert d'indocyanine.
- Électrophysiologie : ERG, PEV.
- OCT.

Non ophtalmologiques.

ALTÉRATION DU CHAMP VISUEL (CV)

- **Rétinienne :**
  - déficits périphériques : GCAO, dégénérescence héréditaire pigmentaire ;
  - scotomes centraux : DMLA.
- **Neuropathies optiques** (déficit fasciculaire) :
  - tumorales : intraorbitaires, intracrâniennes ;
  - vasculaires : NOIA : scotome fasciculaire altitudinal ;
  - toxiques : alcool (coecocentral), plomb, benzène ;
  - endocriniennes : diabète ;
  - inflammatoires, infectieuses : NORB (SEP, syphilis, sarcoïdose) : scotome central ;
  - iatrogènes : isoniazide, éthambutol.
- **Voies optiques :**
  - *chiasmatique :* hémianopsie bitemporale ou quadranopsie supérieure : macro-adénome hypophysaire ;
  - *rétrochiasmatique :* hémianopsie latérale homonyme controlatérale ou quadronopsie supérieure : tumorale, vasculaire, traumatique ;
  - *cécité corticale :* brutale, bilatérale, FO normal, RPM +, DTS, anosognosie, hallucinations visuelles : AVC vertébro-basilaire.

DIPLOPIE

OBJECTIF

- Devant l'apparition d'une diplopie, argumenter les principales hypothèses diagnostiques et justifier les examens complémentaires pertinents.

Vous voyez aux urgences un jeune homme de 24 ans pour traumatisme de la face survenu il y a 24 heures suite à une rixe. Il vient parce qu'il voit double et cela le gêne de plus en plus. À l'examen physique, vous notez un hématome périorbitaire droit ainsi qu'une hémorragie sous-conjonctivale droite. Il voit double lorsqu'il regarde vers le haut.

1. *Quel sera votre examen ophtalmologique aux urgences ?*

Ce dernier met en évidence un hyphéma stade 1 avec tyndall hématique à trois croix. La rétine est par ailleurs normale.

2. *Quels examens complémentaires allez-vous prescrire ?*

Voici le résultat d'un des examens que vous avez prescrit (*cf.* figure ci-dessous). Interprétez-le.
Vous avez aussi demandé un scanner. Ce dernier met en évidence une fracture du plancher de l'orbite droit avec incarcération du muscle droit inférieur.

3. *Quelle sera votre prise en charge thérapeutique ?*

Avant de l'opérer, il vous faut vérifier un élément clinique qui a une valeur médicolégale.

4. *Lequel et comment le recherchez-vous ?*

FORME LIBRE

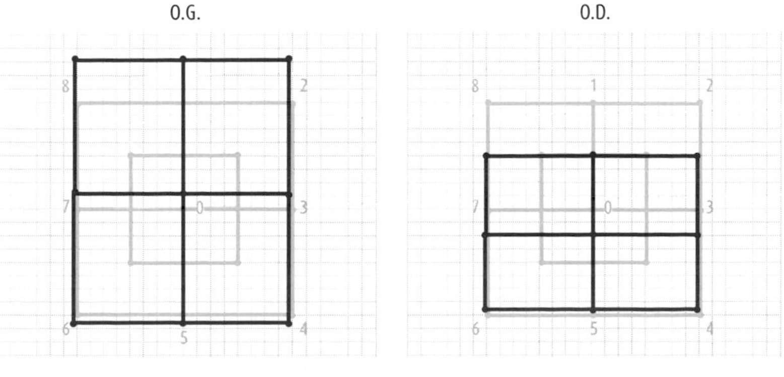

LIENS TRANSVERSAUX

Item 119 : Maladie de Horton et pseudopolyarthrite rhizomélique.
Item 125 : Sclérose en plaques.
Item 187 : Anomalie de la vision d'apparition brutale.
Item 233 : Diabète sucré de type 1 et 2 de l'enfant et de l'adulte.
Item 246 : Hyperthyroïdie.
Item 263 : Myasthénie.

DIPLOPIE

DÉFINITION

Vision double d'un objet unique.
Éliminer une diplopie monoculaire (qui persiste à l'occlusion de l'œil sain et qui disparait à l'occlusion de l'œil pathologique) : absence d'urgence !

- ***Atteinte cornéenne :*** taie cornéenne, kératocône, astigmatisme important.
- ***Iris :*** iridodialyse traumatique, iridotomie.
- ***Cristallin :*** cataracte nucléaire, luxation du cristallin.

INTERROGATOIRE

- Terrain : âge, antécédents oculaires et généraux (diabète, HTA, dysthyroïdie).
- Caractéristiques de la diplopie : circonstance de survenue (trauma, effort, fatigue), mode de début (brutal ou progressif), caractères de la diplopie (horizontale, verticale, maximum dans quelle direction du regard ?).
- Signes associés : céphalées, nausées, vertiges, déficit neurologique.

INSPECTION

- Attitude vicieuse ou compensatrice de la tête (dans le champ d'action du muscle atteint).
- Déviation du globe en position primaire (i.e. : strabisme paralytique convergent si atteinte du VI).
- Exophtalmie.

EXAMEN OCULOMOTEUR

- ***Motilité oculaire*** dans les différentes positions du regard (examen des 6 muscles oculomoteurs de chaque œil).
- ***Examen sous écran ou « cover-test » :*** cache placé alternativement devant chaque œil. Recherche d'un « mouvement de restitution ».
- ***Examen au verre rouge :*** verre rouge devant l'œil droit et œil gauche découvert qui fixe un point lumineux blanc projeté en face de lui. Diplopie si le patient voit un point rouge distinct du point blanc.
- ***Test de Hess-Lancaster :*** permet diagnostic de l'œil et des muscles paralysés. Œil paralysé : cadre plus petit que la normale. Œil controlatéral : carré plus grand que la normale.
- ***Étude de l'oculomotricité intrinsèque***, inspection : anisocorie (inégalité pupillaire) ; réflexe photomoteur (RPM) direct et consensuel.

RAPPEL PHYSIOLOGIQUE : MUSCLE (CHAMP D'ACTION)

NERF OCULOMOTEUR III

- ***III extrinsèque :***
  - droit médial (en dedans) ;
  - oblique inférieur (en haut et en dedans) ;
  - droit supérieur (en haut et en dehors) ;
  - droit inférieur (en bas et en dehors) ;
  - muscle releveur de la paupière (relève la paupière supérieure).
- ***III intrinsèque :***
  - sphincter pupillaire (myosis) ;
  - accommodation.

NERF OCULOMOTEUR IV

Oblique supérieur (*en bas et en dedans*).

NERF OCULOMOTEUR VI

Droit latéral (*en dehors*).

DIAGNOSTIC SÉMIOLOGIQUE (PARALYSIES TRONCULAIRES)

Paralysie du III	Paralysie du IV	Paralysie du VI
Paralysie du III extrinsèque : • Diplopie dans la direction des champs des muscles atteints innervés par le III extrinsèque (*cf.* ci-dessus). • Déficit oculomoteur dans le champ d'action des muscles atteints respectifs. • Position compensatrice de la tête dans le champ d'action du muscle atteint. • Ptosis. **Paralysie du III Intrinsèque :** • Mydriase (ou simple anisocorie). • Paralysie de l'accommodation.	• Diplopie verticale et oblique dans le regard en bas et en dedans. • Déficit d'abaissement et d'adduction. • Position compensatrice de la tête tournée vers épaule du côté sain et vers le bas (menton abaissé).	• Diplopie horizontale dans le regard vers le dehors. • Déficit d'abduction (œil en convergence). • Position compensatrice de la tête tournée du côté atteint.

FORMES PARTICULIÈRES

Paralysies supranucléaires	Paralysies internucléaires	Paralysie intraxiales
Pas de diplopie !!! • Syndrome de Foville : paralysie de la latéralité. • Syndrome de Parinaud : paralysie de la verticalité + paralysie de la convergence (pinéalome +++).	Ophtalmoplégie internucléaire (SEP) : mouvements oculaires normaux du côté de la lésion. Du côté sain : adduction limitée alors que l'abduction de l'œil controlatéral est normale.	• Syndromes alternes : diplopie + troubles neurologiques controlatéraux. • Paralysie de fonction + diplopie par POM.

DIAGNOSTIC ÉTIOLOGIQUE

TRAUMA	TUMEURS	CAUSES VASCULAIRES	INFLAMMATION	AUTRES
• Fractures de l'orbite (fracture du plancher de l'orbite, désinsertion de la poulie de l'oblique supérieure). • Trauma de la fente sphénoïdale. • Trauma de l'apex orbitaire. • Hémorragie méningée.	• HTIC : diplopie par atteinte du VI bilatérale sans valeur localisatrice. • Tumeurs de la base du crâne : valeur localisatrice de la paralysie oculomotrice.	• Anévrisme carotidien : – paralysie du III totale et récente + violente douleur rétro-oculaire (angioRM en urgence). • AVC du tronc : syndromes alternes. – fistule artério-veineuse ; – insuffisance vertébro-basilaire.	• Maladie de Horton : VS en urgence. • SEP : diplopie par atteinte du VI ou du III, ophtalmoplégie internucléaire. • Syndrome de Tolosa-Hunt. • Syndrome de Guillain- Barré.	• Diabète : paralysie incomplète du III. • Infections : abcès, méningite ou méningo-encéphalite. • Myasthénie : ptosis en fin de journée. • Maladie de Basedow.

EXAMENS COMPLÉMENTAIRES

- ***Si trauma :*** scanner en urgence (fracture).
- ***Si sujet âgé de plus de 50 ans :*** VS, CRP en urgence, glycémie, imagerie cérébrale (IRM et Angio-RM) selon le contexte.
- ***Si sujet jeune :*** IRM cérébrale et Angio-RM en urgence.
- ***Ne pas oublier aussi*** (non urgent le plus souvent) : PL, TSH, Ac anti-Ach, sérologie

STRABISME DE L'ENFANT

OBJECTIF

- Devant un strabisme chez l'enfant, argumenter les principales hypothèses diagnostiques et justifier les examens complémentaires pertinents.

Une enfant de 3 ans, que vous connaissez bien puisque vous êtes son médecin généraliste depuis sa naissance, est amenée en consultation par sa maman car elle trouve qu'elle louche de l'œil gauche depuis quelques semaines. De plus, sa fille est maladroite lorsqu'on lui tend un objet : elle dépasse souvent son but avant de l'attraper.

1. *Quels signes cliniques trouvez-vous dans ce texte ? Que vous évoquent les difficultés de préhension des objets ?*

À l'examen des photographies de la petite fille que sa mère vous a apportées, vous ne retrouvez pas cette anomalie de l'œil gauche.

2. *Complétez votre examen clinique pour définir le type de la déviation oculaire. Quel élément essentiel devez-vous également rechercher ? Comment ?*
3. *Vous concluez à un strabisme horizontal convergent unilatéral gauche. Par argument de fréquence, quelle est l'étiologie la plus probable de ce trouble ? Quelle est votre prise en charge diagnostique ?*
4. *L'ophtalmologiste réalise un fond d'œil après dilatation pupillaire, pourquoi ? Quel(s) autre(s) examen(s) réaliseriez-vous ?*

Il diagnostique une hypermétropie unilatérale importante de l'œil gauche, une acuité visuelle subjective à droite de loin à 6/10e, à gauche inférieure à 1/10e et un fond d'œil normal.

5. *Quelles sont ces anomalies ? Dans quels délais doivent-elles être prises en charge ?*

LIENS TRANSVERSAUX

Item 23 : Évaluation et soins du nouveau-né à terme.
Item 33 : Dépistage des anomalies orthopédiques, des troubles visuels et auditifs.
Item 51 : L'enfant handicapé, orientation et prise en charge.
Item 287 : Troubles de la réfraction.
Item 293 : Altération de la fonction visuelle.

STRABISME DE L'ENFANT

DÉFINITION

Déviation des axes oculaires (phénomène **moteur**) avec perturbation de la vision binoculaire.

PHYSIOPATHOLOGIE

- Correspondance rétinienne normale : localisation identique d'un objet par les deux yeux.
- Correspondance rétinienne anormale : objet fixé par la macula d'un œil et une zone extra-maculaire d'un autre œil par perte du parallélisme des deux yeux.

→ Diplopie chez l'adulte.
→ Phénomène de suppression chez l'enfant (phénomène **sensoriel** = neutralisation d'une des deux images pour éviter la diplopie) : risque d'amblyopie fonctionnelle.

TYPES

- Horizontal +++ :
  - convergent +++ ;
  - divergent.
- Vertical.
- Unilatéral : un œil est fixateur, l'autre est dévié → Risque majeur d'amblyopie.
- Alternant : chacun des yeux est fixateur à tour de rôle → Pas de risque d'amblyopie.

ÉTIOLOGIES

- Primitif (sensoriel)
- Secondaire :
  - fonctionnel +++ : hypermétropie (moteur) : mise en jeu du réflexe d'accomodation-convergence ;
  - organique, rare : affection organique oculaire, maladie neurologique, HTIC.

DÉPISTAGE

- Du strabisme : préoccupant à partir de 4 mois, à dépister précocement (6-9 mois) : inspection, examen des photographies, reflets cornéens, test de l'écran, test de l'écran alterné.
- De l'amblyopie : test de l'occlusion : défense à l'occlusion de l'œil sain.

DIAGNOSTICS DIFFÉRENTIELS

Épicanthus, hypertélorisme.

EXAMEN OPHTALMOLOGIQUE COMPLET

- Réfraction après cycloplégie : anisométropie, hypermétropie.
- LAF + fond d'œil : cause organique = cataracte congénitale unilatérale, rétinoblastome (leucocorie).

EXAMENS COMPLÉMENTAIRES

- Strabisme fonctionnel : aucun.
- Strabisme secondaire à une anomalie organique : spécialisés orientés par la clinique.
- En l'absence d'orientation évidente, selon le contexte : IRM, ERG, PEV.

PRISE EN CHARGE SPÉCIALISÉE ET PRÉCOCE

- De l'amblyopie : occlusion de l'œil sain.
- De la déviation : correction optique ou chirurgie musculaire.
- + De la cause organique si elle existe.

PARTIE II
ORL

ANGINES ET PHARYNGITES DE L'ENFANT ET DE L'ADULTE

OBJECTIFS

- Diagnostiquer une angine et une rhinopharyngite.
- Diagnostiquer une mononucléose infectieuse.
- Argumenter l'attitude thérapeutique (P) et planifier le suivi du patient.

M. S., 26 ans, se présente aux urgences pour une odynophagie depuis 48 h, concomitante d'une fièvre. M. S. consulte car le traitement par kétoprofène que son amie lui a donné ne le soulage plus.

L'interrogatoire retrouve comme antécédents : un épisode de phlegmon para-amygdalien il y a 9 mois et un tabagisme non sevré à 10 cigarettes par jour.

L'examen clinique met en évidence un pharynx érythémateux, les 2 amygdales sont augmentées de volume et également érythémateuses. Il existe des adénopathies cervicales douloureuses. La température est contrôlée à 38,2 °C. Vous évoquez le diagnostic d'angine.

1. *Quel examen est réalisé en 1re intention et quel traitement en découle en cas de positivité ?* [2004]

Vous décidez de traiter ce patient en ambulatoire, l'odynophagie étant légère et le patient capable de prendre ses médicaments *per os*.

M. S. revient 48 h plus tard et malgré un traitement bien conduit, son état s'est aggravé avec désormais une aphagie, un trismus à 22 mm et une voix enrouée. La fièvre est mesurée à 39,4 °C. Il n'existe pas de torticolis. Vous suspectez un phlegmon para-amygdalien.

2. *Que pourra révéler l'examen endobuccal ?* [2002]

3. *Quelle prise en charge proposez-vous si votre diagnostic se confirme ?* [2002]

4. *Proposeriez-vous une amygdalectomie à froid chez ce patient ? Pourquoi ?* [2002]

LIENS TRANSVERSAUX

Item 173 : Prescription et surveillance des anti-infectieux.
Item 174 : Prescription et surveillance des anti-inflammatoires stéroïdiens et non stéroïdiens.
Item 291 : Adénopathie superficielle.
Item 305 : Douleur buccale.
Item 308 : Dysphagie.

ANGINE DE L'ENFANT ET DE L'ADULTE

DÉFINITION

Inflammation aiguë des amygdales palatines.

CLINIQUE

- Odynophagie fébrile.
- +/- Rhinorrhée, toux, enrouement.
- Adénopathies cervicales satellites sensibles.
- Aspect du pharynx oriente l'étiologie.

ÉPIDÉMIOLOGIE

- Origine virale (*cf.* rhinopharyngite).
- Strepto β hémolytique groupe A (20 %).
- Rarement *Corynebacterium diphteriae.*
- Enfant > 18 mois, adulte.

	CLINIQUE EN FAVEUR DE L'ÉTIOLOGIE	CAT
Angine érythémateuse (pharynx rouge vif)	• Strepto β hémolytique groupe A : – température à 40 °C + vomissements ; – atteinte des deux amygdales ; – pas de rhinorrhée ; – rash scarlatineux aux plis de flexion ; – complications (scarlatine, RAA, glomérulonéphrite aiguë). • Virus *Haemophilus influenzae* : angine + conjonctivite.	**TDR** (Test de Diagnostic Rapide : met en évidence les antigènes de paroi [protéine M] de *Streptococcus pyogenes*). Sensibilité > 90 %.
Angine érythématopultacée	• Virus. • Strepto β hémolytique groupe A et non A.	**TDR**
Angine pseudomembraneuse	• EBV (peut prendre toutes les formes d'angine) : – hépatosplénomégalie +/- ictère ; – asthénie marquée, notion de contage ; – purpura du voile ; – fausses membranes ne débordent pas la surface amygdalienne, peu adhérentes.	• NFS (syndrome mononucléosique, AHAI...). • MNI test. • Paul-Bunell-Davidson et sérologie EBV si atypie.
	• Diphtérie : – voyage en zone d'endémie, pas de vaccination ; – fausses membranes épaisses débordant l'amygdale, malodorantes, hémorragiques et adhérentes ; – complication : dyspnée laryngée (croup), anesthésie vélo-palatine, myocardite (tardif).	• Prélèvement : bacille de Loeffler. • Isolement 1 mois. • Sérothérapie antidiphtérique + ATB.
Angine vésiculeuses	• HSV1, Herpangine (coxsackie gr. A).	
Angine ulcéronécrotique	• Angine de Vincent : – adolescent ou adulte jeune + mauvaise hygiène buccale ; – dysphagie unilatérale, puis fétidité de l'haleine ; – enduit pultacé blanc recouvrant une ulcération atone, à bords irréguliers et surélevés, non indurée au toucher. • Chancre syphilitique de l'amygdale : – l'ulcération unilatérale indurée, FDR des IST. • Hémopathie maligne (leucémie aiguë, agranulocytose...).	• Prélèvement de gorge : association fusospirillaire. • Prélèvement de gorge avec examen à l'ultramicroscope : *Treponema pallidum* • TPHA-VDRL, sérologie VIH-VHB-VHC. • NFS de dépistage +++.

TRAITEMENT

- Antibiothérapie adaptée au germe :
  - oracilline (péni V) 3 MUI/j pdt 10 j (TTT de référence car spectre étroit) ;
  - actuellement les traitements courts sont privilégiés (améliore l'observance) :
    - amoxicilline 2 g/j pendant 6 jours en 2 prises,
    - céfuroxime axétil 500 mg/j pendant 4 jours,
    - cefpodoxime proxétil : 200 mg/j pendant 5 jours ;
  - et si allergie aux bêtalactamines :
    - azithromycine : 250 mg x 2/j pendant 3 jours,
    - clarithromycine : 500 mg/j pendant 5 jours,
    - josamycine : 2 g/j pendant 5 jours.
- Antalgique-antipyrétique.
- Alimentation molle, bain de bouche.
- Amygdalectomie : selon les indications.

COMPLICATIONS

- Strepto β hémolytique du groupe A :
  - RAA, glomérulonephrite aiguë, scarlatine.
- Phlégmon périamygdalien.
- Adénophlegmon.
- Abcès rétropharyngien.
- Amygdalite chronique, récidives fréquentes (foyer infectieux chronique).

- **Phlegmon périamygdalien** (complique 1 % des angines) :
  - définition : collection de pus entre la capsule de l'amygdale et le plan musculaire ;
  - AEG et angine récente, pas ou mal traitée, prise d'AINS ;
  - douleur pharyngée importante, odynophagie, trismus et parfois voix enrouée ;
  - bombement du voile du palais + œdème de la luette (qui est refoulée du côté opposé).
- **Traitement spécifique :**
  - hospitalisation 2-3 j le plus souvent (aphagie, impossibilité de prendre le traitement médical) ;
  - ponction du phlegmon (bactério) puis incision et drainage ;
  - antibiothérapie (IV puis *per os* dès que possible) par amoxicilline + acide clavulanique 3 g/j, puis adaptée ;
  - amygdalectomie à froid au 2ᵉ épisode.

INDICATIONS DE L'AMYGDALECTOMIE

- Angine bactérienne invalidante et rebelle au traitement (faite à chaud, difficulté: saignement ++).
- Angines à répétition (> 4 épisodes/an).
- Amygdalite chronique (haleine fétide, amygdales cryptiques, poussées inflammatoires...).
- Formes compliquées : syndromes post-streptococciques.
- Volumineuses amygdales avec obstruction des voies aériennes (apnées du sommeil).
- Pour examen anatomopathologique (suspicion de lymphome, carcinome épidermoïde).

RHINOPHARYNGITE DE L'ENFANT ET DE L'ADULTE

DÉFINITION

- Atteinte inflammatoire de l'étage supérieur du pharynx (rhinopharynx) +/- rhinite.
- Origine virale +++ (rhinovirus, coronavirus, VRS, virus *Influenzæ/Para-influenzæ*, adénovirus...) spontanément favorable en 7 à 10 jours le plus souvent.

PHYSIOPATHOLOGIE

La rhinopharyngite constitue chez l'enfant une adaptation naturelle au monde microbien (4 à 5 rhinopharyngites banales, non compliquées par an), jusque vers l'âge de 6 à 7 ans.

ÉPIDÉMIOLOGIE

- Première cause de consultation en pédiatrie.
- Âge préscolaire +++

FACTEURS FAVORISANTS

- Facteurs climatiques (printemps, automne) et épidémiques.
- Mode de vie : crèche, école, contage familial, tabagisme passif.
- Récidive : atopie, carence martiale, RGO, hypertrophie adénoïdienne.

CLINIQUE

- Fièvre à 38,5-39 °C, +/- vomissements et diarrhée (entérovirus, adénovirus...).
- Obstruction nasale avec rhinorrhée claire puis mucopurulente antérieure + jetage postérieur.
- Pharynx érythémateux.
- Otalgie réflexe par obstruction tubaire aiguë (surdité de transmission + tympans congestifs).
- Adénopathies cervicales bilatérales douloureuses.

TRAITEMENT

- Lutte contre les FDR (tabagisme passif, correction carence martiale, traitement RGO...).
- Antibiothérapie uniquement pour les formes compliquées supposées bactériennes.
- Désobstruction rhinopharyngée +++ et mouchage.
- Antipyrétique (paracétamol 60 mg/kg/j en 4 prises).

COMPLICATIONS

(= indication à 1 adénoïdectomie à froid)

- Otite moyenne aiguë (enfant de 6 mois-2 ans +++).
- Sinusite : ethmoïdite (avant 6 ans), sinusite maxillaire (après 6 ans).
- Adénophlegmon, abcès rétropharyngien.
- Laryngites, épiglottite (*cf.* Dyspnée laryngée) et complication des diarrhées et hyperthermies.
- Formes récidivantes.

INFECTIONS NASOSINUSIENNES DE L'ENFANT ET DE L'ADULTE

OBJECTIFS

- Diagnostiquer une rhinosinusite aiguë.
- Argumenter l'attitude thérapeutique et planifier le suivi du patient.

Mlle Y., 30 ans, présente depuis sept jours une congestion nasale avec rhinorrhée jaunâtre. Elle se plaint également de céphalées, sensation de plénitude bilatérale dans le visage qui augmente quand elle se penche vers l'avant. Elle est apyrétique et n'a pas de douleur aux dents. La palpation des sinus maxillaires est légèrement douloureuse.

Elle n'a pas d'œdème du visage. À l'examen des fosses nasales, elle a effectivement une rhinorrhée jaune-verdâtre bilatérale.

1. *Quel est le diagnostic le plus probable et l'agent pathogène en cause ?*

2. *Est-ce une indication à une antibiothérapie ?*

3. *Quel est votre traitement ?*

La patiente consulte de nouveau à 72 h devant l'échec du traitement symptomatique bien conduit. La douleur persiste et est désormais pulsatile. Il existe à présent une fièvre à 39 °C.

4. *Quel est votre diagnostic ?* [1998, 2003]

5. *Quel est votre traitement ?* [1998, 2003]

6. *Quels sont les germes les plus fréquemment mis en cause ?* [1998]

LIENS TRANSVERSAUX

Item 96 : Méningites infectieuses et méningo-encéphalites chez l'enfant et chez l'adulte.
Item 173 : Prescription et surveillance des antibiotiques.
Item 188 : Céphalée aiguë et chronique.
Item 212 : Œil rouge et/ou douloureux.
Item 256 : Lésions dentaires et gingivales.

SINUSITES AIGUËS PURULENTES DE L'ADULTE

Infection d'une ou plusieurs cavités sinusiennes par une bactérie.

EXAMEN CLINIQUE

- Une rhinorrhée purulente antérieure et/ou postérieure, uni/bilatérale.
- Faisant suite à un épisode de rhinopharyngite banale.
- Rhinoscopie antérieure : pus dans le méat moyen.
- Douleur à la pression en regard de la cavité sinusienne infectée.
- Douleur pulsatile, insomniante et à maximum vespéral.
- Signe de complications : syndrome méningé, ophtalmo (exophtalmie, œdème palpébral, troubles de la mobilité oculaire), sinusite hyperalgique (= bloquée).
- L'examen recherche des signes de surinfection bactérienne responsable de sinusite aiguë purulente faisant suite à une rhinopharyngite banale ou rhinosinusite virale posant l'indication d'une antibiothérapie avec la présence d'au moins 2 des 3 critères majeurs suivants :
  - 1. persistance ou augmentation des douleurs sinusiennes, malgré un traitement symptomatique (antalgique, antipyrétique, décongestionnant) pris pendant au moins 48 heures ;
  - 2. type de la douleur : son caractère unilatéral ; et/ou son augmentation quand la tête est penchée en avant ; et/ou son caractère pulsatile ; et/ou son acmé en fin d'après-midi et la nuit ;
  - 3. augmentation de la rhinorrhée et de sa purulence (surtout si devient unilatérale) ;
  - les critères mineurs sont :
    - la persistance de la fièvre, au delà du 3e jour d'évolution,
    - l'obstruction nasale, les éternuements, la gêne pharyngée, la toux, s'ils persistent au-delà des quelques jours d'évolution habituelle de la rhinopharyngite.

EXAMENS COMPLÉMENTAIRES

- **Radiographie** (**de Blondeau**) en cas de doute diagnostic ou d'échec d'une 1re antibiothérapie.
- **TDM des sinus** en cas de suspicion de sphénoïdite ou sinusite compliquée.
- **Prélèvement bactériologique** en cas d'échec d'une 1re antibiothérapie, si sinusites récidivantes : pneumocoque, streptocoque, *Haemophilus influenzae*, *Moraxella catarrhalis*, staphylocoque.

PRINCIPES DE TRAITEMENT

- *En hospitalisation si forme compliquée.*
- *Médical toujours :*
  - antibiothérapie adaptée ;
  - décongestionnant nasal (type corticoïde local ou vasoconstricteur, sauf chez l'enfant) ;
  - désobstruction rhinopharyngée ;
  - antalgique, antipyrétique ;
  - parfois corticothérapie générale (courte +++).
- *Drainage chirurgical parfois, avulsion dentaire.*

FORMES CLINIQUES

(Sinusite ethmoïdale : cf. chez l'enfant)

CLINIQUE	TDM	TRAITEMENT SPÉCIFIQUE
SINUSITE MAXILLAIRE		
• Typique : *cf.* Sinusite de l'enfant. • Chronique : – évoluant depuis 3 mois ; – poussées évolutives ; – origine dentaire +++ : - streptocoques et anaérobies, - sinusite unilatérale et douleur dentaire (pano dentaire +++), - cacosmie ; – **origine fongique** : - immunodépression, VIH, diabète, - cacosmie, - sinusites récidivantes et résistantes aux ATB. • **Formes allergiques** : fréquence ++, contexte atopique.	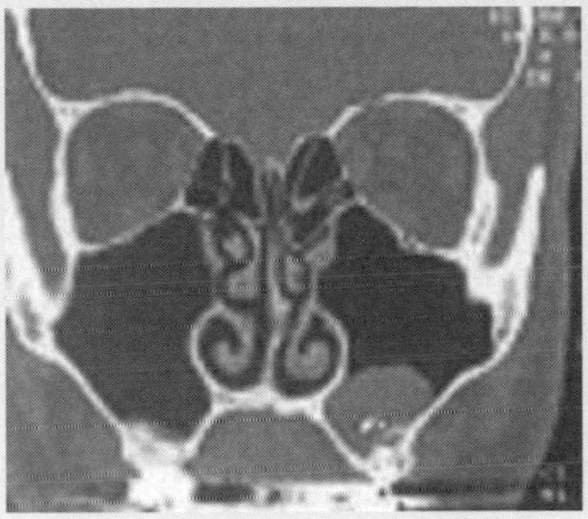 Comblement du fond du sinus maxillaire gauche, réactionnel à un corps étranger intrasinusien (pâte dentaire).	(traitement détaillé : *cf.* Sinusite de l'enfant) • *Origine dentaire :* – traitement, avulsion de la dent ; – ATB (*cf.*) ; – chirurgie (endonasale surtout). • *Origine fongique :* – méatotomie endonasale et drainage du sinus suffit généralement ; – antifongique si immunodépression. • *Formes allergiques :* – antihistaminique ; – éviction de l'allergène.
SINUSITE SPHÉNOÏDALE		
• Céphalée retro-orbitaire, vertex. • Pulsatile, hyperalgique. • Résistante aux antalgiques de 1re intention. • Fièvre > 38 °C est rare en l'absence de complications. • Rhinorrhée postérieure inconstante. • Nasofibroscopie : pus à l'ostium.	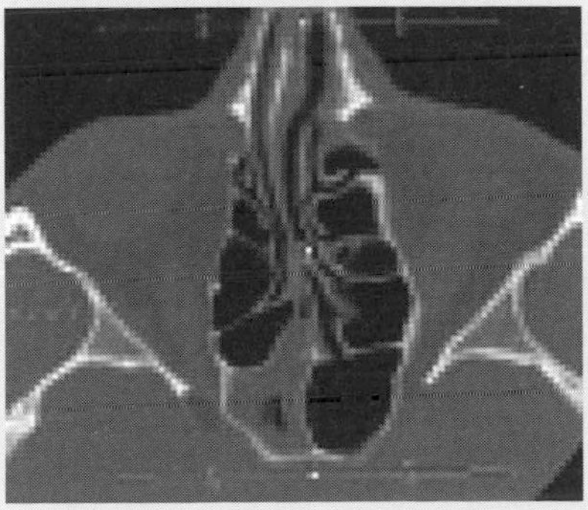 Sinusite sphénoïdale droite (comblement du sinus sphénoïdal droit).	• ATB : *Augmentin* ou *Pyostacine*, voire une fluoroquinolone (lévofloxacine-*Tavanic*). • Drainage chirurgicale si complication ou échec de l'antibiothérapie.

CLINIQUE	TDM	TRAITEMENT SPÉCIFIQUE
	SINUSITE FRONTALE	
• Après 10 ans. • Douleur frontale pulsatile hyperalgique, augmentée par la pression des sinus frontaux. • Fièvre inconstante. • Rhinoscopie : secrétions mucopurulentes. • Signes neurologiques en rapport avec les complications (empyème cérébral, abcès, méningo-encéphalite, thrombophlébite du sinus caverneux), voire ostéomyélite.	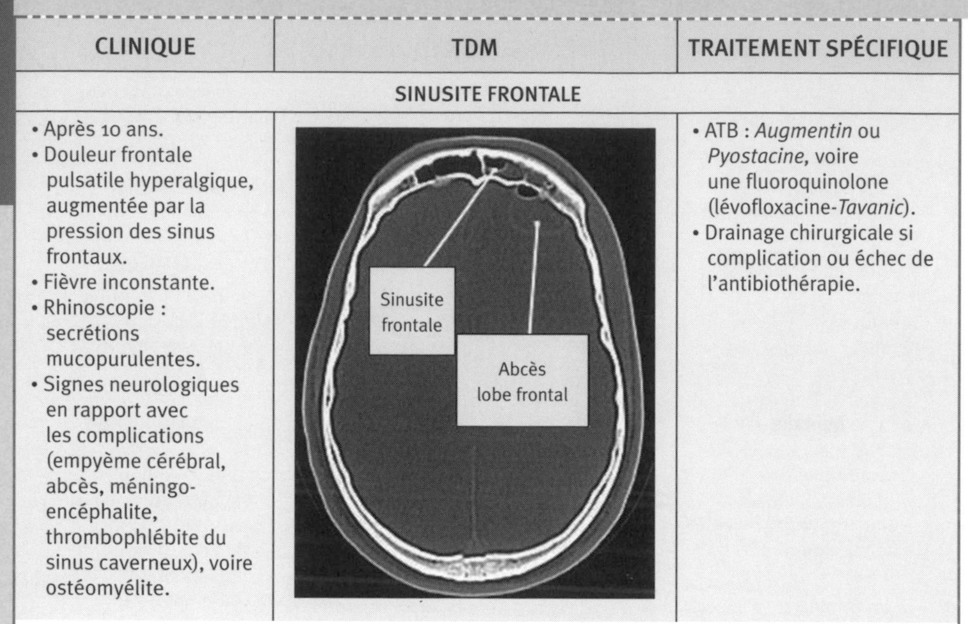	• ATB : *Augmentin* ou *Pyostacine*, voire une fluoroquinolone (lévofloxacine-*Tavanic*). • Drainage chirurgicale si complication ou échec de l'antibiothérapie.

SINUSITES AIGUËS DE L'ENFANT

SINUSITE MAXILLAIRE AIGUË	SINUSITE ETHMOÏDALE AIGUË
CLINIQUE	
• Après 6 ans. • Fièvre, algies et œdème faciaux. • Rhinorrhée purulente et obstruction nasale. • Rhinoscopie antérieure ou nasofibroscopie : **pus au méat moyen** confirme le diagnostic.	• Avant 5 ans +++. • Céphalées fronto-orbitaires, fièvre > 39 °C, AEG. • **Douleurs à la pression + œdème du canthus interne et de la racine du nez**. • Rhinorrhée purulente homolatérale.
PARACLINIQUE	
• Prélèvement bactériologique : *Hæmophilus influenzæ, Streptocoques pneumoniæ, Moraxella catarrhalis*. • Hémocultures, antigènes solubles (*Hæmophilus*). • NFS-CRP non systématiques. • TDM sinus coupes axiales et coronales (si forme compliquée) : – comblement du/des sinus maxillaire ; – rétention sur les autres sinus.	• Prélèvement bactériologique : *Hæmophilus influenzæ, staphylocoques dorés*. • PL si signes méningés. • Hémocultures, antigènes solubles (*Hæmophilus*). • NFS-CRP, ionogramme sanguin. • TDM sinus coupes axiales et coronales : – comblement des cellules ethmoïdales homolatérales ; – complications : cellulite ou abcès orbitaire, abcès cérébral.
TRAITEMENT	
• Ambulatoire pour les formes non compliquées. • Amoxicilline + acide clavulanique (*Augmentin*) : 80 mg/kg/j pdt 10 j. • Si allergie : pristinamycine (*Pyostacine*) : 50 mg/kg/j pdt 10 j. • Antipyrétiques et mesures associées. • Désobstruction rhinopharyngée : 4-6/j. • Corticothérapie pdt 3 j uniquement pour les formes hyperalgiques. • Surveillance (consultation à 48 h).	• Hospitalisation le plus souvent, urgence. • Antibiothérapie IV, probabiliste, synergique : – céfotaxime (*Claforan*) 100 mg/kg/j en 3 fois ; – fosfomycine (*Fosfocine*) 100 mg/kg/j en 3 fois ; – +/- amikacine (*Amiklin*) 15 mg/kg/j en 1 fois et discuter la poursuite à 48 h, adaptation secondaire. • Antipyrétiques et mesures associées. • DRP : 4-6/j + collyre (4-6/j) + pommade OPH. • Traitement chirurgical des complications (drainage d'abcès orbitaire ou cérébral).
COMPLICATIONS	
Générales : • Fièvre mal tolérée, déshydratation, septicémie... • Complications des ethmoïdites lorsque la sinusite maxillaire s'étend aux autres sinus (pan-sinusites). • Ostéites du maxillaire supérieur. • Formes récidivantes (rechercher une pathologie dentaire, un corps étranger). • Forme hyperalgique (= bloquée) nécessitant un drainage par ponction de sinus au méat inférieur.	Générales : • Oculaires : – kératites, uvéites ; – cellulite (périorbitaire ou intra-orbitaire) ; – abcès orbitaire (chémosis, exophtalmie, paralysie oculomotrice, anesthésie cornéenne, diminution de l'acuité visuelle). • Neuroméningées : – méningite, abcès sous-duraux ou intracérébraux ; – thromboses veines intracrâniennes (sinus caverneux).

OTALGIES ET OTITES CHEZ L'ENFANT ET CHEZ L'ADULTE

OBJECTIFS

- Expliquer les principales causes d'otalgie chez l'adulte et l'enfant.
- Diagnostiquer une otite moyenne aiguë, une otite externe, une otite séromuqueuse.
- Argumenter l'attitude thérapeutique et planifier le suivi du patient.

Vous voyez aux urgences un patient de 55 ans pour douleur auriculaire gauche intense évoluant depuis 24 heures. Il vous dit ne pas avoir d'antécédent, mais déclare aussi ne pas avoir consulté de médecin depuis 30 ans. La température est de 37,8 °C. L'examen physique trouve une douleur spontanée du pavillon de l'oreille gauche exacerbée par la palpation du tragus. Le CAE est inflammatoire. Le tympan est difficilement accessible du fait de la douleur.

1. *Quel est votre diagnostic ? Quelle(s) peut(vent) en être la(les) cause(s) ?*
2. *Quel sera votre traitement ?*

Vous le re-convoquez 6 jours plus tard pour contrôler l'évolution. Il vous dit que les douleurs se sont accrues avec l'apparition d'une otorrhée fétide. À l'examen, vous trouvez une zone d'aspect nécrotique de 3 mm du plancher du CAE.

3. *Que craignez-vous ? Quel en est le germe responsable ?*
4. *Quels examens prescrivez-vous en urgence ?*
5. *Quels seront les grandes lignes de votre prise en charge thérapeutique ?*
6. *Quels examens à visée étiologique n'oublierez-vous pas de demander ?*

LIENS TRANSVERSAUX

Item 96 : Méningites infectieuses et méningo-encéphalites chez l'enfant et chez l'adulte.
Item 173 : Prescription et surveillance des anti- infectieux.
Item 233 : Diabète sucré de type 1 et 2 de l'enfant et de l'adulte.
Item 294 : Altération de la fonction auditive.

OTALGIE

DÉFINITION

Sensation douloureuse de l'oreille.
± Accompagnée d'otorrhée (écoulement de liquide par le CAE) ou d'otorragie (écoulement hémorragique).

ÉTIOLOGIES

PATHOLOGIES AURICULAIRES

- Oreille externe :
  - traumatisme ;
  - infection du CAE ;
  - eczéma du CAE ;
  - tumeurs bénignes ou malignes ;
  - corps étranger (CE).
- Oreille moyenne :
  - infection de l'oreille moyenne ;
  - barotraumatisme ;
  - tumeur maligne rare.

PATHOLOGIES EXTRA-AURICULAIRE (OTALGIES RÉFLEXES)

- Atteinte pharyngée :
  - cancer ;
  - infection ;
  - CE.
- Atteinte buccodentaire :
  - caries et autres infections ;
  - SADAM ;
  - tumeurs.
- Autres :
  - cervicalgies, névralgies essentielles

RMQ : toute otalgie de l'adulte avec examen otologique normal doit faire craindre un cancer rhinopharyngé débutant !!!

OTITE EXTERNE AIGUË

DÉFINITION

Infection aiguë du CAE.

TERRAIN	SIGNES FONCTIONNELS	SIGNES PHYSIQUES	TRAITEMENT
• Infection cutanée ou eczéma du CAE. • Baignade.	• Otalgie intense, majorée par la pression du tragus. • Otorrhée purulente. • Hypoacousie. • Acouphènes.	• CAE érythémateux parfois sténosé. • Otorrhée purulente. • ADP prétragienne et sous-digastrique. • Otoscopie difficile du fait de la douleur et de la sténose du CAE : tympan normal !	• Gouttes antibiotiques auriculaires (*Oflocet* auriculaire). • Antalgiques par voie orale. • Conformateur en cas de sténose du CAE (*Pop-Oto-Wick*). • Antibiotiques par voie orale si infection sévère ou terrain débilité (diabète, immunodépression). • Consultation de contrôle.

FORME PARTICULIÈRE : L'OTITE EXTERNE MALIGNE

Définition : ostéite de la base du crâne à *Pseudomonas aeruginosa*. Urgence diagnostique et thérapeutique.
Terrain : diabète, immunosuppression.
SP : otoscopie : nécrose du tympanal en « sucre mouillé ».
Imagerie : IRM sinon scanner.
Traitement urgent : bi-antibiothérapie par voie intraveineuse en milieu hospitalier probabiliste puis adaptée à l'antibiogramme avec relais par voie orale pour une durée totale de 6 à 8 semaines. Chirurgie si échec du traitement médical.
Surveillance clinique et radiologique.

OTITE MOYENNE AIGUË

DÉFINITION

Infection aiguë de l'oreille moyenne.

ÉPIDÉMIOLOGIE

- **Terrain :** plus souvent l'enfant que l'adulte, fait suite à une infection rhinopharyngée.
- **Germes :**
  - *Haemophilus influenzae*
  - *Streptococcus pneumoniae ;*
  - *Moraxella catarrhalis ;*
  - *streptocoque A.*

SIGNES FONCTIONNELS

- Otalgie intense.
- Fièvre.
- Hypoacousie.
- Acouphènes.
- Parfois otorrhée purulente.
- Chez l'enfant : anorexie, asthénie, vomissement, douleur abdominale, diarrhées, troubles du sommeil.

SIGNES PHYSIQUES

- **Forme congestive :** diminution de la transparence du tympan (mat et oedématié), disparition du triangle lumineux, dilation des vaisseaux péri-malléaires.
- **Forme collectée :** inflammation diffuse et épaississement du tympan avec disparition des reliefs ossiculaires, bombement latéral de la membrane tympanique signant la collection (tympan blanc-jaunâtre).
- **Forme perforée :** perforation du tympan, otorrhée purulente.

TRAITEMENT

- Antibiothérapie par voie orale adaptée au germe.
- Antalgiques antipyrétique.
- Désobstruction rhinopharyngée.
- Paracentèse. Indications : nourrisson ≤ 3 mois, échec traitement médical, otite hyperalgique, hyperthermie résistante au traitement médical, terrain fragile (tares associées), survenue de complications.

COMPLICATIONS

ORL : mastoïdite, labyrinthite, surdité, PFP.
Neurologiques : méningite, abcès cérébral, thrombophlébite du sinus latéral, crises convulsives hyperthermiques.

OTITE MOYENNE CHRONIQUE

OTITE SÉROMUQUEUSE	OTITE CHRONIQUE NON CHOLESTÉATOMATEUSE	OTITE CHOLESTÉATOMATEUSE (TISSU ÉPIDERMIQUE DERRIÈRE LE TYMPAN)
SIGNES FONCTIONNELS		
• Terrain : enfant, climat hivernal, tabagisme passif, vie en collectivité. Chez l'adulte si unilatéral penser à cancer du cavum ! • Hypoacousie, plénitude de l'oreille, autophonie.	• Hypoacousie. • Otorrhée en période de poussée infectieuse, otalgie. • Acouphènes. • Parfois vertiges et exceptionnellement paralysie faciale.	• Hypoacousie. • Otorrhée abondante. • Otalgie. • Otorragie. • Acouphènes. • Céphalées.
SIGNES PHYSIQUES		
Tympan épaissi, mat et sans relief, parfois discrètement inflammatoire et laissant voir des bulles d'air rétro-tympaniques.	• Otite muqueuse à tympan ouvert. • Otite séquellaire. • Tympanosclérose. • Otite adhésive ou fibro-adhésive. • Otite atélectasique.	• Masse blanc-nacrée. • Poche de rétraction. • Perforation tympanique marginale. • Otorrhée fétide.
TRAITEMENT		
• ATT. • Corticoïdes (cure courte) ± ATB si surinfection. • Adénoïdectomie si échec traitement médical.	• ATB si poussée infectieuse + traitement local par *Oflocet* auriculaire. • Chirurgie : mastoïdectomie pour l'éradication des lésions.	Chirurgie parfois en plusieurs temps : tympanoplastie (technique ouverte ou fermée) avec exérèse du cholestéatome (scanner des rochers avant la chirurgie).
COMPLICATIONS		
Lésions tympano-ossiculaires, poches de rétraction (risque de cholestéatome).		Surdité de perception, vertiges, paralysie faciale, complications neurologiques (méningite, abcès, thrombophlébite).

TUMEURS DE LA CAVITÉ BUCCALE ET DES VOIES AÉRODIGESTIVES SUPÉRIEURES

OBJECTIF

- Diagnostiquer une tumeur de la cavité buccale et une tumeur des voies aérodigestives supérieures.

M. T., 67 ans, consulte, adressé par son médecin traitant, pour dysphonie et dysphagie évoluant depuis 2 mois. Il est fumeur (35 paquets/année) et éthylique chronique. Il existe un amaigrissement récent : perte de 8 kg en 3 mois. Il n'existe pas d'adénopathies cervicales. L'examen de la cavité buccale retrouve un mauvais état dentaire, sans lésion tumorale.

1. Quel est votre examen clinique concernant la dysphagie ?

2. Quels examens complémentaires demandez-vous ?

3. Interprétez le cliché TDM ci-dessous.

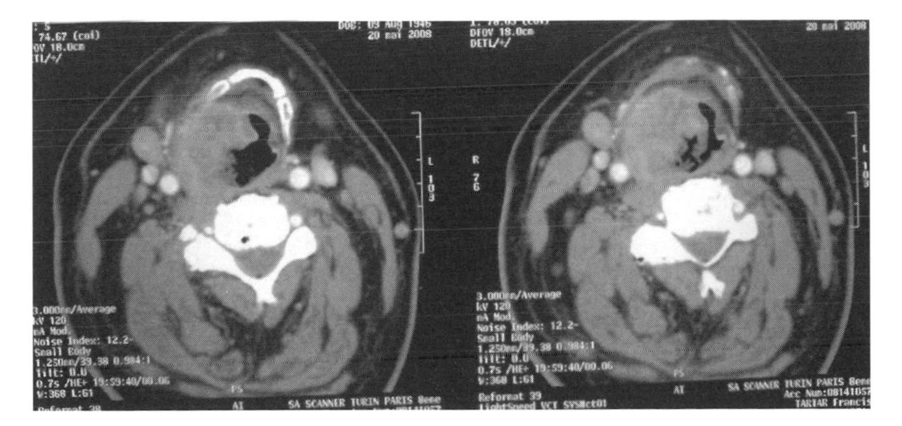

Une pan-endoscopie des VADS est réalisée qui retrouve une volumineuse tumeur laryngée, à droite. L'examen histologique est en faveur d'un carcinome épidermoïde.

L'indication chirurgicale est posée : pharyngolaryngectomie totale et reconstruction par un lambeau libre vascularisé anté-brachial. Devant les antécédents vasculaires, vous avez demandé un Écho-Doppler des carotides : sténose de la carotide interne gauche à 86 %.

4. Quelle est l'attitude à adopter concernant cette sténose ?

5. Quelle sera votre surveillance carcinologique post-opératoire et à quel rythme ?

LIENS TRANSVERSAUX

Item 45 : Addiction et conduites dopantes : épidémiologie, prévention, dépistage. Morbidité, co-morbidité et complications. Prise en charge, traitement substitutif et sevrage : alcool, tabac, psycho-actifs et substances illicites.

Item 139 : Facteurs de risque, prévention et dépistage des cancers.

Item 308 : Dysphagie.

Item 337 : Trouble aiguë de la parole. Dysphonie.

TUMEURS DE LA CAVITÉ BUCCALE ET DES VADS

ÉPIDÉMIOLOGIE

- 45-70 ans.
- 15 % des cancers chez ♂ et 2 % chez ♀.
- FDR : association tabac-alcool +++, lésions précancéreuses.
- Anapathologie : carcinome épidermoïde.
- Cancer associé (œsophage, poumon, 2e localisation ORL).

SIGNES FONCTIONNELS

- **Adénopathie cervicale** +++ (fixée, douloureuse, > 1 cm, dure) (schéma daté).
- AEG, et signes d'accompagnement selon la localisation :
  – oropharynx : gène pharyngée unilatérale +/- dysphagiante, otalgie réflexe, dysarthrie, douleur buccale ;
  – langue mobile et cavité buccale : lésions précancéreuses ;
  – hypopharynx : dysphagie évolutive +++, otalgie réflexe ;
  – larynx : dysphonie évolutive et permanente +++, dyspnée laryngée tardive.

⇨ SF évoquent la malignité s'ils sont unilatéraux, progressif, > 3 semaines.

⇨ Examen ORL complet, palpation cervicale et endobuccale apprécie la lésion d'aspect malin (fixée, ulcérée, bourgeonnante, indurée, saignant au contact), nasofibroscopie.

LÉSIONS PRÉCANCÉREUSES

(cavité buccale : langue mobile, face interne des joues, plancher buccal, gencives).

- FDR sont les facteurs irritatifs : tabac +++, traumatismes répétés.
- Kératose ou lésion blanche : toujours pathologique :
  – tabagique : est fine chez un fumeur de cigarettes et + épaisse chez un fumeur de pipe ;
  – infectieuse : leucoplasie syphillitique, candidose chronique, leucoplasie villeuse du VIH, **hyperplasie épithéliale focale des HPV**. Ces lésions peuvent dégénérer ;
  – congénitale : naevus orthokératosique ;
  – néoplasie intra-épithéliale orale (OIN) : aspect kératosique ou érythémateux. 3 classes évolutives :
    - OIN I : dysplasie légère,
    - OIN II : dysplasie moyenne,
    - OIN III : dysplasie sévère = carcinome *in situ*.

SIGNES CLINIQUES

OROPHARYNX ET CAVITÉ BUCCALE

- Amygdale : 15 % des K ORL :
  – lésion d'aspect malin (*cf.*) ou induration limitée.
- Voile du palais :
  – leucoplasie se modifiant et prenant des aspects malins.
- Base de langue, langue mobile
  – lésion indurée ;
  – limitation de la mobilité (protraction limitée).

HYPO-PHARYNX

- Par laryngoscopie indirecte (miroir laryngé) ou direct (nasofibroscopie) :
  – tumeur ulcéro-bourgeonnante du sinus pyriforme ;
  – +/- hémilarynx homolatéral fixé.

LARYNX

- Par laryngoscopie indirecte ou direct :
  – laryngite chronique avec dysplasie (précancéreux) ;
  – tumeur ulcéro-bourgeonnante ;
  – +/- hémilarynx homolatéral fixé.
- ADP rare car K peu lymphophile.

PANENDOSCOPIE DES VADS ET BIOPSIES

(schéma daté +++)

Intérêts : diagnostic histologique par biopsies, opérabilité, extension locale, recherche d'une 2e localisation synchrone.

BILAN D'EXTENSION PARACLINIQUE APRÈS CONFIRMATION HISTOLOGIQUE

- Régional :
  - TDM cervical : recherche l'extension en profondeur, 2e localisation, ADP cervicales.
- À distance :
  - radio pulmonaire : cancer du poumon associé, métastase ;
  - échographie hépatique : recherche de métastases ;
  - PET-scanner : recherche des lésions à distance (non systématique) ;
  - FOGD si signes d'appel voire scintigraphie osseuse ou TDM cérébral.
- Et bilan du terrain (dénutrition : NFS, albuminémie, bilan martial...), panoramique dentaire (si radiothérapie).

TRAITEMENT

Décision au cours d'une réunion de comité pluridisciplinaire RCP (chirurgiens, chimio-radiothérapeutes, oncologues).

- Chirurgie d'exérèse tumoral + évidement ganglionnaire cervical homo ou bilatéral.
- Radiothérapie externes (50-70 gray pendant 6 semaines) + chimiothérapie concomitante (**gouttières fluorées**).
- Chimiothérapie : cisplatine, 5 fluoro-uracile +/- *Taxol* (*Taxotere*).
- Lutte contre les FDR (tabac – alcool – lésions précancéreuses).

SURVEILLANCE POST-THÉRAPEUTIQUE (À VIE)

- Examen général et ORL+ nasofibroscopie : tous les 3 mois la 1re et 2e année. Puis tous les 6 mois jusqu'à la 5e année (à moduler selon la tumeur initiale, si existence de récidives). *Puis tous les ans :*
- Radiographie pulmonaire (face et profil).
- Dosage de la TSH après irradiation cervicale ou thyroïdectomie partielle à chaque contrôle.
- Panendoscopie des voies aérodigestives supérieures au tube rigide sous anesthésie générale tous les ans.
- Fibroscopie œsophagienne, TDM thoracique, écho hépatique, scintigraphie osseuse si signes d'appel.

PRONOSTIC À 5 ANS (TOUS STADES CONFONDUS)

OROPHARYNX	PHARYNX (SINUS PYRIFORME)	LARYNX
40 %	30 %	> 50 %

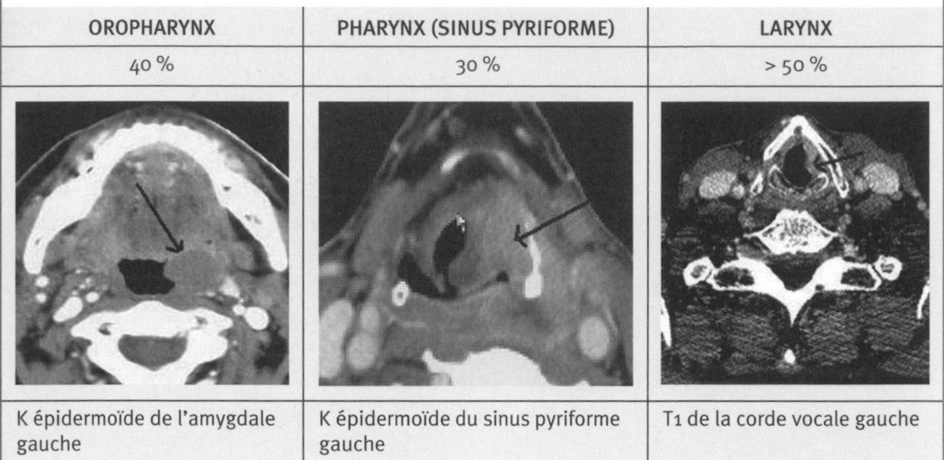

K épidermoïde de l'amygdale gauche	K épidermoïde du sinus pyriforme gauche	T1 de la corde vocale gauche

CAS PARTICULIERS : CANCERS DE L'ETHMOÏDE ET DU NASOPHARYNX

ÉPIDÉMIOLOGIE

CANCER DE L'ÉTHMOÏDE (ADÉNOCARCINOME)

- Maladie professionnelle :
  - tableau 47B des travailleurs de bois ;
  - tableau 37 ter, nickel, goudrons de houille, amiante.

CANCER DU NASOPHARYNX *(UNDIFFERENTIAL CARCINOMA OF NASOPHARYNGEAL TYPE)*

- Asie du Sud-Est, Alaska, Maghreb, Japon.
- Profil sérologique spécifique : augmentation des taux d'anticorps anti-EBV (pas de lien alcool-tabac).
- 1 ♀ pour 3 ♂.

SIGNES D'APPEL

- Ostruction nasale unilatérale +/- rhinorrhée mucopurulente +/- striée de sang.
- Épistaxis, unilatérale, répétée (signal symptôme).
- Œdème de la paupière supérieure, dacryocystite.
- Exophtalmie isolée.
- Ptosis, paralysie oculaire, diplopie.
- Douleurs, rares au début, peuvent prendre l'allure d'une véritable névralgie faciale symptomatique.

- Adénopathie +++ de topographie haute et postérieure, bilatérale.
- Otite séromuqueuse par obstruction tubaire unilatérale : hypoacousie de transmission.
- Obstruction nasale et épistaxis.
- Des symptômes neurologiques (10 à 15 % des cas) à type d'algies (névralgies du V ou du IX, céphalées persistantes) ou de paralysies oculomotrices.

CANCER DE L'ETHMOÏDE	CANCER DU NASOPHARYNX
EXAMEN CLINIQUE	
• Rhinoscopie antérieure : masse bourgeonnante, hémorragique, ou polype sentinelle (qui est réactionnel et cache 1 lésion maligne). • Rare adénopathie. • Nasofibroscopie : tumeur bourgeonnante.	• Examen du cavum par rhinoscopie antérieure et postérieure par nasofibroscopie : d'aspect ulcérobourgeonnant ou infiltrant. • Otoscopie peut révéler un aspect d'otite séromuqueuse unilatérale.
BILAN DIAGNOSTIC ET D'EXTENSION (PAS DE PANENDOSCOPIE SYSTÉMATIQUE)	
• Biopsie *per* endoscopique (endonasale) et examen anatomopathologique. • TDM massif facial ou IRM (extension intra-orbitaire ou intracrânienne). • RP et écho hépatique.	• Cavoscopie avec biopsie et examen anatomopathologique. • TDM cervicofacial ou IRM +++. • RP et écho hépatique. • Sérologie EBV.
TRAITEMENT	
• Exérèse chirurgicale de la tumeur +/- curages. • Radiothérapie complémentaire +++. • Chimiothérapie a des indications limitées : tumeurs très étendues, récidives.	• Radiothérapie (65-70 grays) sur la tumeur et les aires ganglionnaires. • Chimiothérapie concomitante. • Chirurgie d'un reliquat ganglionnaire.
PRONOSTIC	
Survie à 5 ans de 40 à 50 %.	Survie globale de 40 % à 3 ans et 30 % à 5 ans.

DÉTRESSE RESPIRATOIRE AIGUË DU NOURRISSON, DE L'ENFANT ET DE L'ADULTE. CORPS ÉTRANGER DES VOIES AÉRIENNES SUPÉRIEURES

OBJECTIFS

- Diagnostiquer une détresse respiratoire aiguë du nourrisson, de l'enfant et de l'adulte.
- Diagnostiquer un corps étranger des voies aériennes supérieures.
- Identifier les situations d'urgence et planifier leur prise en charge.

Un enfant de 3 ans est amené par le SAMU aux urgences pour dyspnée aiguë. Les parents vous racontent que pendant que leur enfant jouait, il a subitement poussé un cri en même temps qu'il devenait tout bleu. Il s'est ensuite arrêter de respirer pendant quelques secondes puis tout s'est résolu spontanément.
Les constantes sont les suivantes : FC = 85/min, TA = 120/75 mmHg, FR = 24/min, SaO_2 = 98 % en air ambiant. L'enfant est parfaitement conscient et bien éveillé. Il préfère rester assis. À l'auscultation pulmonaire, vous entendez un *wheezing* aux 2 temps respiratoires. Enfin, le médecin du SAMU vous informe que durant le transport l'enfant a eu un épisode de dyspnée inspiratoire ayant duré quelques secondes.

1. *Quel est le syndrome dont vous parlent les parents ?* [2001]
2. *Quel élément majeur manque à l'examen physique ?*
3. *Ce dernier est normal. Quel est votre diagnostic complet ? Justifiez.* [2001]
4. *Quel(s) examen(s) complémentaire(s) demandez-vous en urgence ?* [2001]
5. *Quelle sera votre prise en charge thérapeutique ?*

LIENS TRANSVERSAUX

Item 173 : Prescription et surveillance des anti-infectieux.
Item 198 : Dyspnée aiguë et chronique.
Item 336 : Toux chez l'enfant et chez l'adulte (avec le traitement).
Item 337 : Trouble aiguë de la parole. Dysphonie.

DYSPNÉE LARYNGÉE DE L'ENFANT

DÉFINITION

Bradypnée inspiratoire avec tirage et bruit laryngé à type de stridor ou cornage.

Atteinte	Bruit laryngé	Voix-Toux	Dysphagie
Sus-glottique	Stridor	Étouffée	Oui + hypersialorrhée
Sous-glottique	Cornage	Normale, rauque, aphonie	Non

SIGNES DE GRAVITÉ

- **Respiratoires :** durée ≥ 1 heure, FR ≥ 60/min, pauses ≥ 20 s, signes de lutte (tirage, battement des ailes du nez).
- **Cardiovasculaires :** tachycardie, HTA, signes de choc.
- **Neurologiques** (signes d'hypoxie cérébrale) : agitation, troubles de conscience.
- **Biologiques :** $PaCO_2$ ≥ 60 mmHg, PaO_2 < 50 mmHg, acidose respiratoire.

ÉTIOLOGIES

Néonatal	Immédiat	• Sténose laryngée congénitale. • Diastème laryngé postérieur. • Kyste laryngé.
	Les 1er jours	• Laryngomalacie = stridor laryngé congénital essentiel. • Paralysie laryngée uni ou bilatérale.
Nourrisson < 6 mois		• Hémangiome sous-glottique. • Sténose sous-glottique congénitale modérée. • Laryngite aiguë.
Nourrisson > 6 mois	Sans température	• CE laryngé. • Traumatisme, brûlure. • Œdème de Quincke. • Tumeur : papillomatose laryngée.
	Avec température	• Épiglottite. • Laryngite sous-glottique. • Laryngite striduleuse.

HÉMANGIOME SOUS-GLOTTIQUE

- Après 1 mois de vie.
- Dyspnée laryngée avec cornage et toux rauque.
- Faire nasofibroscopie.
- Évolution : augmente de volume par poussées, puis stabilisation, puis régression spontanée après la 1re année.
- TTT : surveillance, chirurgie si formes sévères.

ÉPIGLOTTITE

- Grave, *Haemophilus influenzae*.
- Dyspnée laryngée brutale et intense.
- Fièvre > 39 °C, AEG.
- Voix étouffée, dysphagie, hypersialorrhée, position antéfléchie.
- Urgence vitale : hospitalisation, ATB IV (β-lactamines), corticoïdes, surveillance étroite.
- Gestes interdits : allonger l'enfant, manœuvres endobuccales (abaisse langue...), nasofibroscopie.

LARYNGITE GLOTTO, SOUS-GLOTTIQUE

- Virus, 18 mois à 4 ans.
- Dyspnée laryngée sous-glottique progressive, intensité variable.
- Fièvre < 38,5 °C, pas d'AEG.
- Nasofibroscopie autorisée.
- Hospitalisation pour surveillance, corticoïdes IV + en aérosols, ATB (évite surinfection bactérienne).
- Évolution favorable.

CORPS ÉTRANGER TRACHÉOBRONCHIQUE ET LARYNGÉ

ÉPIDÉMIOLOGIE

- Enfants de 1 à 4 ans, rare avant 9 mois. Sexe ratio : 2/1.
- Urgence diagnostique et thérapeutique. Education des parents essentielle (prévention) !
- 3 localisations possibles : laryngée, trachéale (avec risque d'enclavement en cas d'effort de toux) et bronchique.

INTERROGATOIRE

- **Syndrome de pénétration :** accès de suffocation brutale et spasmodique avec cyanose, quintes de toux expulsives, parfois tirage, cornage survenant chez un enfant en bonne santé et spontanément résolutif.
- **Formes frustes :** dyspnée ou toux chronique, infections pulmonaires récidivantes.

EXAMEN PHYSIQUE

- **Dyspnée** inspiratoire (larynx), aux 2 temps (trachée) ou expiratoire (bronche).
- **Autres :** toux rebelle, voix rauque et cornage (sous-glotte), voix étouffée et stridor (sus-glotte), *wheezing*, tirage, asymétrie à l'auscultation pulmonaire.
- **Signes généraux :** fièvre, hémodynamique.

RADIOGRAPHIE DU LARYNX ET DU THORAX

(inspiration et expiration) (si pas de signes de gravité !)

- Normale le plus souvent.
- CE visible (10 % des cas).
- Signes indirects : emphysème (effet *trapping*), atélectasie, foyer infectieux.
- Signes de gravité : PNO, pneumomédiastin, atélectasie de tout un lobe.

PRISE EN CHARGE

- Manœuvre de Heimlich seulement si asphyxie aiguë (patient aphone et apnéique).
- Endoscopie au tube rigide diagnostique et thérapeutique (extraction de CE à la pince) :
  - urgent si signes de gravité : détresse respiratoire, CE trachéal ou laryngé, CE mobile, PNO ou pneumomédiastin, trouble ventilatoire de tout un poumon ;
  - après la radiographie sinon.
- Surveillance postopératoire et contrôle radiologique.

AUTRES CORPS ÉTRANGERS

CE DE L'OREILLE

- Enfants +++.
- Diagnostic otoscopique.
- Risque : inflammation oreille externe, blessure tympanique.
- TTT : lavage d'oreille, micro-instruments, voire chirurgie + *Oflocet* auriculaire.

CE DES FOSSES NASALES

- Enfants +++.
- Unilatéral : écoulement purulent et fétide +++, obstruction nasale.
- Risque : sinusite ethmoïdomaxillaire.
- TTT : extraction du CE + lavage de nez + ATB.

CE DU PHARYNX

- Adultes +++, lors du repas, arête de poisson.
- Rarement grave, gêne pharyngée latéralisée.
- Diagnostic : abaisse langue et miroir laryngé.
- TTT : extraction avec une pince, rarement chirurgie.

CE ŒSOPHAGIEN

- Enfants, adultes.
- Dysphagie, douleur, gêne cervicale
- Diagnostic : radio, endoscopie tube rigide.
- Risque : perforation (médiastinite).
- TTT : extraction sous AG.

RMQ : la PILE BOUTON est un CE très dangereux et constitue une URGENCE (risque de corrosion chimique).

ADÉNOPATHIE SUPERFICIELLE. ADÉNOPATHIES CERVICOFACIALES

OBJECTIF

- Argumenter les principales hypothèses diagnostiques et justifier les examens complémentaires pertinents.

M. A., 27 ans, jusqu'ici en bonne santé, consulte son médecin traitant car il a découvert par autopalpation la présence d'une tuméfaction indolore dans la région cervicale gauche, de 2 × 1 cm. Il existe une légère diminution de l'état général avec toux et sensation d'oppression dans la poitrine associée à des sueurs nocturnes.
Les examens biologique de débrouillage mettent en évidence une formule sanguine normale et une VS à 63 mm/1 h.
La prise d'antibiotiques pendant 2 semaines est inefficace.

1. *Décrivez votre examen clinique.*
2. *Quels sont les diagnostics à évoquer en priorité (par leur gravité) devant ce tableau ?*
3. *Quels examens complémentaires demandez-vous ?*
4. *Une biopsie exérèse sous anesthésie locale confirme le diagnostic de maladie de Hodgkin : quels sont les éléments histologiques mis en évidence ?*
5. *Quels examens complémentaires demandez-vous pour la suite de la prise en charge de la maladie de Hodgkin ?*

LIENS TRANSVERSAUX

Item 5 : Indications et stratégies d'utilisation des principaux examens d'imagerie.
Item 106 : Tuberculose.
Item 124 : Sarcoïdose.
Item 138 : Cancer : épidémiologie, cancérogenèse, développement tumoral, classification.
Item 145 : Tumeurs de la cavité buccale et des voies aérodigestives supérieures.
Item 164 : Lymphomes malins.

ADÉNOPATHIES CERVICOFACIALES

DÉFINITION

Adénopathie : ganglion lymphatique de plus d'1 cm de grand axe.

Aires lymphatiques cervicofaciales : classification internationale.
- Groupe:
  - Ia sous mental ;
  - Ib sous mandibulaire ;
  - II spinal (IIa sus-spinal, IIb rétrospinal) ;
  - III jugulocarotidien moyen ;
  - IV susclaviculaire (jugulocarotidien inf.) ;
  - V trapèze ;
  - VI prélaryngé et récurrentiel.
- + les ADP occipitales, rétroauriculaires, intraparotidiennes.

DIAGNOSTIC DIFFÉRENTIEL

- Anévrysme carotidien, glomus.
- Kystes congénitaux.
- Kyste sébacé ou dermoïde.
- Tumeur parotidienne.
- Cellulite chronique...

ÉTIOLOGIES

ADP ISOLÉE

- Aiguë (< 3 semaines) :
  - réactionnelle à une pathologie infectieuse de voisinage (ORL, dentaire) ;
  - syphilis primaire.
- Chronique (> 6 semaines) :
  - métastatique d'un cancer ORL ;
  - tuberculose ;
  - hémopathie maligne ;
  - réactionnelle (foyer infectieux chronique).

ADP MULTIPLE

- Aiguë :
  - réactionnelle à une pathologie infectieuse de voisinage.
- Chronique :
  - poly-adénopathie du VIH ;
  - sarcoïdose, Gougerot-Sjögren, lupus... ;
  - hémopathie maligne (LMNH, MH, LLC et leucémie aiguë, Waldenström) ;
  - autres virus (MNI...) ;
  - syphilis secondaire, brucellose, pasteurellose, toxoplasmose.

CAT DIAGNOSTIQUE

CLINIQUE

- ATCD, AEG, fièvre, douleur dentaire, dysphagie, alcool, tabac...
- ADP : taille, consistance, fixité au voisinage, douleur, signes inflammatoires, fistulisation.
- **Schéma daté +++**.
- Examen ORL et stomatologie.
- Palpation rate et foie.

PARACLINIQUE

- Bio : NFS, VS, CRP, sérologie VIH, IDR tuberculinique (et selon orientation MNI test, hémocultures, prélèvement d'une suppuration +++).
- Radio pulmonaire, échographie cervicale +/- cytoponction.
- Échographie hépato-splénique voire BOM ou myélogramme selon orientation.
- **Biopsie cervicale** (cervicotomie) pour les ADP chroniques confirme le diagnostic.

ADP DES 4 DIAGNOSTICS À TOUJOURS ÉVOQUER : CONTEXTE AEG, FIÈVRE

- Cancer ORL : **ADP maligne (> 1 cm, dure, douloureuse, fixée)** et alcolotabagique, sujet âgé.
- Tuberculose : ADP volumineuse, fistulisée à la peau spontanément ou après biopsie, contage.
- Hémopathie maligne : ADP multiples, hépatosplénomégalie.
- VIH : ADP multiples, terrain à risque, infection opportuniste.

ALTÉRATION DE LA FONCTION AUDITIVE

OBJECTIF

- Devant une altération de la fonction auditive ; argumenter les principales hypothèses diagnostiques et justifier les examens complémentaires pertinents.

Madame P., 53 ans, vous est adressée aux urgences par SOS Médecin pour prise en charge d'une crise vertigineuse qui dure depuis 5 heures. Ces vertiges sont associés à des vomissements répétés et à une sensation de malaise générale. À l'interrogatoire, vous apprenez que c'est le 3e épisode depuis un an. D'autre part, elle vous dit qu'elle est tabagique et qu'elle a un caractère assez anxieux. Elle n'a pas d'autres antécédents par ailleurs.

À l'examen clinique, vous trouvez en effet un syndrome vestibulaire périphérique droit sans signe neurologique associé.

1. *Quel est à votre avis le sens du nystagmus ?*
2. *À la fin de votre examen clinique, vous suspectez très fortement une maladie de Ménière. Quels autres symptômes la patiente peut-elle alors présenter si ce diagnostic est le bon ?*
3. *Quel est votre traitement aux urgences ?*
4. *Vous réalisez un bilan para-clinique pour conforter ce diagnostic, dont l'examen que voici (cf. Fig.). Quelle conclusion cet examen vous permet-il de tirer ?*
5. *Le diagnostic de maladie de Ménière est confirmé. Quel traitement inter-critique pouvez-vous lui proposer ?*

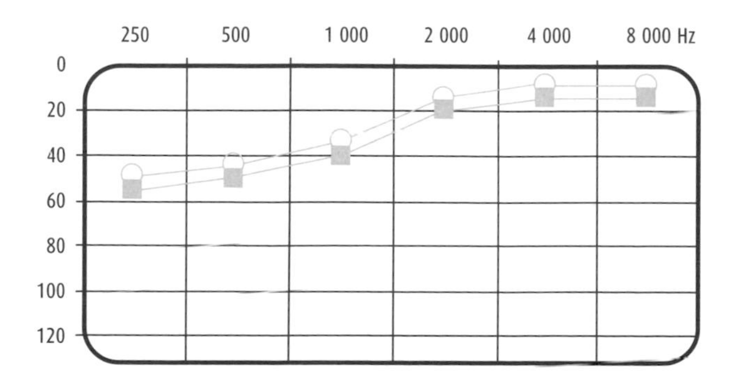

LIENS TRANSVERSAUX

Item 54 : Vieillissement normal : aspects biologiques, fonctionnels et relationnels. Données épidémiologiques et sociologiques. Prévention du vieillissement pathologique.

Item 98 : Otalgies et otites chez l'enfant et l'adulte.

Item 344 : Vertige (avec le traitement).

ALTÉRATION DE LA FONCTION AUDITIVE

3 TYPES DE SURDITÉS

- Surdité de transmission (atteinte de l'oreille externe et/ou de l'oreille moyenne).
- Surdité de perception (atteinte endocochléaire, rétrocochléaire ou centrale).
- Surdité mixte : transmission + perception.

INTERROGATOIRE

- Mode de vie : profession exposée aux bruits.
- Antécédents familiaux, personnels médicaux (OMA) et chirurgicaux (paracentèse, chirurgie de l'oreille).
- Caractéristiques de la surdité : côté, circonstance de survenue, évolutivité, symptômes associés.

EXAMEN PHYSIQUE

- Acoumétrie : test de Weber, test de Rinne, test de Lewis, test de Bonnier.
- Otoscopie : examen du CAE et du tympan.

	Test de Weber	Test de Rinne
Surdité de transmission	Latéralisé côté atteint	CA < CO (Rinne négatif)
Surdité de perception	Latéralisé côté sain	CA > CO (Rinne positif)

CA : conduction aérienne.
CO : conduction osseuse.

EXAMENS COMPLÉMENTAIRES

- Audiométrie tonale liminaire + audiométrie vocale.
- Impédancemétrie (tympanométrie + étude du réflexe stapédien).
- Scanner du rocher, IRM de l'angle pontocérébelleux.

SURDITÉ DE TRANSMISSION

ATTEINTE DE L'OREILLE EXTERNE

- Bouchon de cérumen, corps étranger.
- Otite externe.
- Exostose du conduit, ostéome du conduit.
- Tumeur du CAE.
- Malformation congénitale (aplasie majeure).

ATTEINTE DE L'OREILLE MOYENNE

- Tympan normal : otospongiose, rupture de la chaîne des osselets, dysfonctionnement tubaire.
- Tympan pathologique : OMA, OSM, otite chronique (cholestéatomateuse et non cholestéatomateuse), perforation tympanique, tumeur de l'oreille moyenne.

OTOSPONGIOSE (OSTÉODYSTROPHIE DU LABYRINTHE OSSEUX) : FRÉQUENT ++

- Prédominance féminine.
- Origine génétique (autosomique dominante avec pénétrance variable), influence hormonale.
- Réflexe stapédien aboli (ankylose de l'étrier dans la fenêtre ovale).
- Scanner des rochers (foyer hypodense).
- Traitement chirurgical : stapédectomie ou stapédotomie + piston remplaçant l'étrier.

SURDITÉ DE PERCEPTION

ATTEINTE UNILATÉRALE OU BILATÉRALE ASYMÉTRIQUE

- Surdité brusque.
- Surdité fluctuante.
- Maladie de Ménière.
- Neurinome de l'acoustique (NA).
- Fracture du rocher.
- Traumatisme sonore aigu.

ATTEINTE BILATÉRALE

- Presbyacousie.
- Surdité congénitale.
- Surdité dues aux substances ototoxiques.
- Traumatismes sonores chroniques (surdités professionnelles).

SURDITÉ BRUSQUE

- Diagnostic d'élimination (examen ORL et neurologie normal).
- Étiologie inconnue (virale, vasculaire, auto-immune...).
- Isolée ou associées à des vertiges, des acouphènes.
- Urgence médicale : hospitalisation, repos au calme, corticoïdes, agent osmotique, vasodilatateurs. Bilan : biologie, IRM (éliminer NA).
- Pronostic : péjoratif (25 à 50 % de récupération seulement).

DYSPHAGIE

OBJECTIF

- Argumenter les principales hypothèses diagnostiques et justifier les examens complémentaires.

Mme Y., 86 ans, est aux urgences pour altération de l'état général, fièvre à 39,2 °C et toux depuis 48 h. Les expectorations sont sales.

Il existe à l'interrogatoire une douleur thoracique droite. L'auscultation retrouve des crépitants pulmonaires à droite. Elle présente une dysphagie haute, intermittente, avec fausses routes depuis 2 ans. Il existe également des épisodes de régurgitation d'aliments non digérés.

1. *Quelle est votre prise en charge aux urgences ?*
2. *Une radiographie pulmonaire est réalisée, analysez la radiographie. Quel est le diagnostic de la pathologie pulmonaire ?*
3. *Quel est le traitement spécifique ?*
4. *Il s'agit du 3e épisode de pneumopathie d'inhalation en 2 ans. Quelle est l'étiologie la plus probable ?*
5. *Commentez le TOGD. Quel est le diagnostic ?*

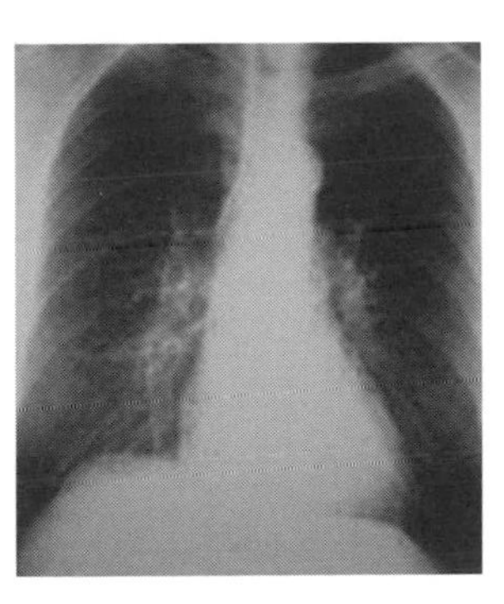

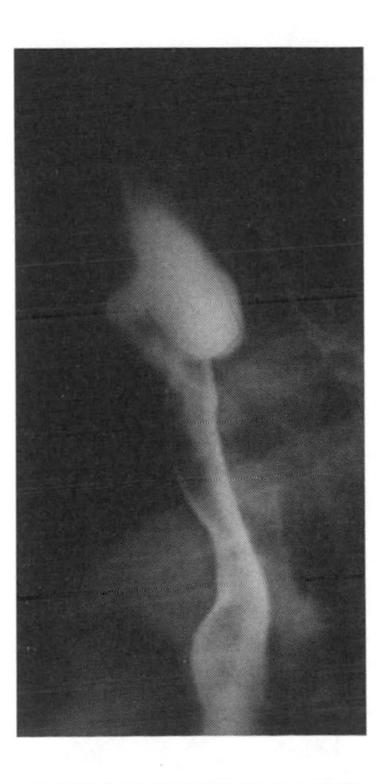

LIENS TRANSVERSAUX

Item 86 : Infections broncho-pulmonaires du nourrisson, de l'enfant et de l'adulte.
Item 145 : Tumeurs de la cavité buccale et des voies aérodigestives supérieures.
Item 152 : Tumeurs de l'œsophage.
Item 336 : Toux chez l'enfant et chez l'adulte.

DYSPHAGIE

DÉFINITION

Sensation de gène ou de blocage à la progression des aliments dans la région pharyngo-laryngo-œsophagienne). La dysphagie peut être douloureuse (odynophagie) ou totale (aphagie).

EXAMEN CLINIQUE

INTERROGATOIRE

- Terrain : âge, FDR de cancers ORL et oesophagien (alcool, tabac, RGO...), **médicaments**, prise de caustique, immunodépression (stomatite ++).
- **Localisation** : haute ou basse, **consistance** : aux solides ou aux liquides, et **évolution**.
- Perte de poids +++, signes associés (AEG, dysphonie, fausses routes...).

EXAMEN PHYSIQUE

- ***Auscultation :*** gargouillis pharyngien = diverticule de Zenker ; pulmonaire : recherche 1 pneumopathie de la base droite surtout (fausses routes).
- ***Palpation :*** examen endobuccal, laryngoscopie indirecte (miroir laryngé) ; aires ganglionnaires cervicales, ganglion de Troisier (K oesophage +++), hépato-splénomégalie.
- ***Nasofibroscopie*** ORL pour les dysphagies hautes et si orientation vers cause ORL.
- ***Examen dermatologique :*** lésions de sclérodermie (*CREST syndrome*).

EXAMENS PARACLINIQUES

- **FOGD + biopsies** : recherche une lésion œsophagienne organique, en première intention si > 50 ans.
- Manométrie oesophagienne (si FOGD normale) : dépiste les troubles fonctionnels.
- TOGD si FOGD impossible (terrain) ou sténose infranchissable.
- RP, pan-endoscopie ORL, TDM cervicothoracique, écho-endoscopie, échographie cervicale : en fonction de la cause.
- Bilan nutritionnel au besoin : NFS, CRP, albuminémie, bilan martial...

ÉTIOLOGIES

ORGANIQUES (FOGD +++)	FONCTIONNELLES (MANOMÉTRIE OESOPHAGIENNE)
• **Cancer** : âge > 50 ans, éthylotabagique, RGO (de plus en plus de K du 1/3 inférieur de l'œsophage +++), AEG, dénutrition : – œsophage : aux solides puis liquides, localisation retrosternale ; – sinus pyriforme : localisation haute, très dysphagiant avec fausses routes ; – tumeur médiastinale ou bronchique. • **Sténose** peptique, radique, infectieuse, médicamenteuse (cyclines), caustique. • Oesophagite sans sténose : *idem*. • **Diverticule pharyngo-oesophagien de Zenker** : souvent âge > 70 ans, régurgitation d'aliments non digérés, fausses routes (risque d'inhalation ++). TOGD +++ et nasofibroscopie. • Syndrome Kelly-Paterson, anneau de Schatzki.	• Achalasie : dysphagie intermittente et paradoxale (liquide > solide) : – manométrie : hypertonie de base du SIO, sans relaxation à la déglutition d'eau, apéristaltisme ; – FOGD stade avancé : méga-œsophage ; – TTT : inhibiteurs calciques, toxine botulique locale, chirurgie. • Maladie des spasmes diffus de l'œsophage : – dysphagie capricieuse +/- paradoxale ; – manométrie : hypopéristaltisme + spasmes ; – douleurs pseudo-angineuses *per* prandiales. • Sclérodermie. • Achalasie secondaire ou pseudoachalasie (atteinte des plexus nerveux : syndrome paranéoplasique ou compression tumorale), diabète, amylose...

ÉPISTAXIS (AVEC LE TRAITEMENT)

OBJECTIFS

- Devant une épistaxis, argumenter les principales hypothèses diagnostiques et justifier les examens complémentaires pertinents.
- Identifier les situations d'urgence et planifier leur prise en charge.

Un garçon de 12 ans est amené par sa maman aux urgences pour épistaxis gauche, de moyenne abondance.
La mère vous apprend qu'il présente un rhume depuis 72 h. Par ailleurs, il se plaint d'obstruction nasale gauche depuis plusieurs mois. C'est le premier épisode d'épistaxis.
L'hémorragie s'est spontanément tarie lorsque vous l'examinez.
L'examen endonasal montre du sang dans les 2 fosses nasales. La voix est nasonnée : « Ça fait déjà quelques mois » selon la mère.

1. *Quel diagnostic étiologique est le plus probable ?*
2. *Quel examen clinique et quels examens complémentaires immédiats sont à demander devant cette épistaxis ?*
3. *Quel examen diagnostic est contre-indiqué ?*
4. *Quels sont les examens complémentaires pour le bilan préthérapeutique ?*
5. *Quel traitement pré-chirurgical préconisez-vous ? Pourquoi ?*

LIENS TRANSVERSAUX

Item 45 : Addiction et conduites dopantes : épidémiologie, prévention, dépistage. Morbidité, comorbidité et complications. Prise en charge, traitement substitutif et sevrage : alcool, tabac, psycho-actifs et substances illicites.
Item 130 : Hypertension artérielle de l'adulte.
Item 145 : Tumeurs de la cavité buccale et des voies aérodigestives supérieures.
Item 172 : Automédication.
Item 175 : Prescription et surveillance d'un traitement anti-thrombotique.
Item 201 : Évaluation de la gravité et recherche des complications précoces.

ÉPISTAXIS

DÉFINITION

Hémorragie d'origine endonasale, extériorisée par la/les narines (épistaxis antérieure) ou par le rhinopharynx (épistaxis postérieure).
- Légère : 10-100 mL de perte sanguine, durée < 10 min.
- Abondante : 250-400 mL de perte sanguine, durée < 30 min.
- Grave : 500-1 000 mL de perte sanguine, durée > 30 min.

DIAGNOSTIC DIFFÉRENTIEL

Uniquement pour l'épistaxis postérieur : hématémèse (épistaxis dégluti).

EXAMEN CLINIQUE

- Interrogatoire : ATCD, médicaments (aspirine, anticoagulant), HTA, trauma, durée du saignement.
- Apprécier le terrain (tolérance +++, cardiopathie) et abondance du saignement, examen endobuccal (épistaxis postérieur).

EXAMENS PARACLINIQUES

- NFS-plaquettes, TP-TCA.
- Groupe-Rh, RAI si éventuel bloc ou transfusion (épistaxis abondante).
- INR si AVK.
- BHC selon orientation.

CAT EN URGENCE

- Apprécier tolérance : prise des constantes (PA-pouls), marbrures, conscience, pâleur.
- Dans le même temps : contrôle de l'hémorragie :
  - **mouchage** et on rassure le patient (+/- anxiolytique) + **compression bi-digitale** 15 min tête penchée en avant ;
  - si échec ou FDR de récidive (anticoagulant) : **tamponnement antérieur** ;
  - si échec : **sonde à double ballonnet** (rarement tamponnement postérieur sous AG) ;
  - si échec : **embolisation** sous artériographie ;
  - si échec : **électrocoagulation chirurgicale des artères sphéno-palatines +/- ethmoïdales** (ant. et post.).
- Rarement : mesures de réa (traitement du choc), transfusions, PPSB, sulfate de protamine.
- Et **traitement étiologique** : contrôle HTA, équilibrer le traitement anticoagulant...

ÉTIOLOGIES

- **Tache vasculaire** (anastomose des systèmes carotidiens internes-externes, grattage).
- **HTA +++**.
- Anticoagulant oral +++, hémopathie, insuffisance hépatocellulaire, trouble de la coagulation.
- **Traumatique** (fractures OPN, DONEF).
- **Tumeurs bénignes :**
  - **fibrome nasopharyngien :** surtout adolescent, tumeur du cavum. TDM ou IRM : masse polylobée, vasculaire (biopsie contre-indiquée). TTT : exérèse chirurgicale après embolisation (artériographie) ;
  - **maladie de Rendu-Osler :** ou angiomatose hémorragique familiale (autosomique dominante, pénétrance quasi complète et expressivité variable). Dès enfance : épistaxis-télangiectasies buccales-gingivorragies. Puis angiomes cutanéomuqueux ;
  - angiofibrome, polype de la cloison, angiome, hémangiopéricytome ethmoïdal.
- Tumeur maligne : adénocarcinome ethmoïdale (menuisier), UNCT, épidermoïde nasal.
- Rhinite, sinusite, typhoïde, scarlatine, ulcère de cloison (cocaïnomane), corps étranger.
- Endocrinienne : grossesse, adolescence.

PALARYSIE FACIALE

OBJECTIF

- Devant une paralysie faciale, argumenter les principales hypothèses diagnostiques et justifier les examens complémentaires pertinents.

Un enfant de 5 ans vous est amené aux urgences pour paralysie faciale droite complète et totale apparue il y a 24 heures.

Son calendrier vaccinal est à jour. Il a comme antécédent une dermatite atopique. Sa mère vous dit qu'il est traité pour une rhinopharyngite depuis une semaine. Depuis 2 jours, il n'a plus d'appétit, il est très fatigué et il se plaint d'une douleur très intense de l'oreille droite.

Les constantes sont les suivantes : T° = 38,9 °C, FC = 95/min, PA = 115/76 mmHg.

1. *Quels sont les signes que vous recherchez pour confirmer l'origine périphérique de cette paralysie faciale ?* [1999]
2. *Détaillez votre examen physique.*
3. *Compte-tenu de l'âge de l'enfant et d'après l'anamnèse, quelle est votre principale hypothèse diagnostique ?*
4. *Votre hypothèse diagnostique est confirmée. Quel geste diagnostic et thérapeutique allez-vous réaliser ?*
5. *Détaillez votre prise en charge thérapeutique.*

LIENS TRANSVERSAUX

Item 124 : Sarcoïdose.
Item 174 : Prescription et surveillance des anti-inflammatoires stéroïdiens et non stéroïdiens.
Item 192 : Déficit neurologique récent.
Item 212 : Œil rouge et/ou douloureux.
Item 233 : Diabète sucré de type 1 et 2 de l'enfant et de l'adulte.
Item 293 : Altération de la fonction visuelle.
Item 294 : Altération de la fonction auditive.

PARALYSIE FACIALE PÉRIPHÉRIQUE

	AU REPOS	À LA MIMIQUE
Facial supérieur	• Effacement des rides du front. • Chute du sourcil. • Élargissement de la fente palpébrale.	• Signe de Charles Bell (pathognomonique +++). • Signe de Souques. • Absence de clignement à la menace.
Facial inférieur	• Effacement du sillon nasogénien. • Abaissement de la commissure labiale.	• Impossibilité de siffler, de gonfler les joues. • Stase salivaire dans le sillon gengivobuccal. • Signe du peaucier de Babinski.

PFP CHEZ LE COMATEUX

- Effacement des rides du visage.
- Sujet qui fume la pipe.
- Manœuvre de Pierre Marie et Foix.

DIPLÉGIE FACIALE PÉRIPHÉRIQUE

- Guillain-Barré.
- Maladie de Lyme.
- Sarcoïdose (Sdr de Heerfordt).
- Diabète.

PF CENTRALE

- Prédominance du facial inférieur.
- Dissociation automatico-volontaire.
- Signes centraux associés.

ÉTIOLOGIES

ORIGINE CENTRALE ET BASE DU CRÂNE

- SEP.
- Atteinte du tronc cérébral.
- Neurinome du VIII.

ATTEINTES DIFFUSES DU NERF

- Multinévrite.
- Polyradiculonévrite.
- Maladie de Lyme (méningoradiculo-névrite).

ATTEINTE PAROTIDIENNE

- Tumeur maligne.
- Traumatique (plaie).
- Iatrogène (chirurgie).
- Sarcoïdose.

ATTEINTE DE L'OREILLE ET DU ROCHER

- Fracture du rocher.
- Iatrogène (chirurgie).
- Otite moyenne aiguë ou chronique (cholestéatome).
- Zona du ganglion géniculé (maladie de Ramsay Hunt).

Paralysie faciale *a frigore* (diagnostic d'élimination +++)

- Cause la plus fréquente.
- Examen physique normal.
- Bon pronostic : 85 % de récupération satisfaisante.

TRAITEMENT

- Étiologique.
- Corticothérapie intense et précoce (si PF *a frigore*).
- Protection oculaire (+++) : larmes artificielles, pommade vitamine A, occlusion palpébrale nocturne.
- Kinésithérapie faciale.

COMPLICATIONS

- Oculaires +++ (kératite, abcès de cornée).
- Persistance du déficit moteur.
- Syncinésies faciales.
- Hémi-spasme facial.
- Sdr des Larmes de crocodiles.

TROUBLE AIGU DE LA PAROLE. DYSPHONIE

OBJECTIF

- Devant l'apparition d'un trouble aigu de la parole ou d'une dysphonie, argumenter les principales hypothèses diagnostiques et justifier les examens complémentaires pertinents.

Une patiente de 68 ans vous est adressée en consultation pour dysphonie apparue il y a 1 mois. Elle est suivie depuis 2 ans pour cancer du sein avec métastases osseuses et traitée actuellement par hormonothérapie. Sa fille qui l'accompagne vous dit qu'elle a perdu 4 kg ce dernier mois.

1. *Quelles sont vos principales hypothèses diagnostiques ?*
2. *Comment allez-vous mener votre interrogatoire et votre examen physique ?*

L'examen au nasofibroscope montre une paralysie en adduction de la corde vocale gauche. Vous notez aussi la présence d'adénopathies centimétriques cervicales gauches.

3. *Quels sont les examens complémentaires de première intention que vous allez prescrire ?*
4. *Ces examens ne montrent aucune anomalie. Quelles autres investigations allez-vous entreprendre ? Pourquoi ?*

LIENS TRANSVERSAUX

Item 45 : Addiction et conduites dopantes.
Item 138 : Cancer : épidémiologie, cancérogenèse, développement tumoral, classification.
Item 140 : Diagnostic des cancers : signes d'appel et investigations para-cliniques ; stadification ; pronostic.
Item 145 : Tumeurs de la cavité buccale et des voies aérodigestives supérieures.
Item 193 : Détresse respiratoire aiguë du nourrisson de l'enfant et de l'adulte. Corps étranger des voies aériennes supérieures.
Item 198 : Dyspnée aiguë et chronique.
Item 308 : Dysphagie.
Item 336 : Toux chez l'enfant et chez l'adulte (avec le traitement).

TROUBLE AIGU DE LA PAROLE. DYSPHONIE

DÉFINITION

Altération du son laryngé portant sur différentes caractéristiques : l'intensité, la hauteur, le timbre.

BILAN CLINIQUE

- **Interrogatoire :** antécédents personnels et familiaux, alcoolo-tabagisme, intubation récente, mode d'installation et caractéristiques des troubles, traumatisme, surmenage vocal.
- **Examen ORL complet :** examen du larynx au miroir de Clar (laryngoscopie indirecte) ou lors d'une naso-fibroscopie, palpation des aires ganglionnaires cervicales, examen de l'oropharynx et du rhinopharynx.
- **Examen clinique général :** état général, examen neurologique (paires crâniennes), pulmonaire, abdominal.

BILAN PARACLINIQUE

- **Laryngoscopie directe en suspension sous anesthésie générale :** biopsies pour anatomopathologie ± geste thérapeutique (exérèse, laser).
- **Imagerie :** scanner cervico-thoracique, IRM cérébrale et de la base du crâne.
- **Exploration vocale fonctionnelle :** bilan phoniatrique, électromyographie laryngée.

	LÉSIONS LARYNGÉES	PARALYSIES RÉCURRENTIELLES	CAUSES FONCTIONNELLES
ENFANT (RMQ : toujours vérifier l'audition)	• Laryngite infectieuse. • Papillomatose laryngée. • Angiome sous-glottique. • Traumatisme laryngé externe ou interne. • Tumeurs bénignes ou malignes du larynx. • Kystes laryngés. • Malformation.	Rares.	• Surmenage vocal. • Retard pubertaire. • Trouble psychique.
ADULTE	• *Dysphonie aiguë :* – laryngite aiguë ; – traumatisme laryngé externe ou interne (intubation). • *Dysphonie chronique :* – laryngite chronique (toux chronique, radiothérapie, RGO ...) ; – tumeurs bénignes : nodule, polype, kyste, granulome, papillomatose... ; – dysplasies : leucoplasies ou d'érythroplasies ; – cancers du larynx ou de l'hypopharynx.	• *Unilatérales :* – tumeurs malignes cervicales ou de la base du crâne ; – tumeurs malignes thoraciques gauches ; – traumatiques ou iatrogènes (chirurgie, intubation) ; – atteinte centrale (neurologique) ; – névrite toxique ou infectieuse ; – idiopathiques. • *Bilatérales :* – atteintes bulbaires ; – rarement iatrogènes (chirurgie cervicale).	• Surmenage vocal. • Hystérie et autres causes psychiques. • Trouble spastique de la mobilité laryngée.

VERTIGE (AVEC LE TRAITEMENT)

OBJECTIFS

- Chez un sujet se plaignant de vertige, argumenter les principales hypothèses diagnostiques et justifier les examens complémentaires pertinents.
- Argumenter l'attitude thérapeutique et planifier le suivi du patient.

Un homme de 50 ans est admis aux urgences pour vertiges rotatoires intenses qui ont débuté il y a quelques heures. Il est très nauséeux. Il vous dit que c'est la première fois que cela lui arrive. Vous trouvez comme antécédent un épisode de baisse de l'audition à droite d'apparition brutale il y a 1 an partiellement résolutif. Il se plaint aussi d'acouphènes droits depuis 6 mois.

Les constantes sont normales. Cliniquement, le patient ne peut tenir debout, rendant impossible la réalisation des manœuvres posturales. Mais allongé, il se sent partir vers la droite. D'autre part, il présente un nystagmus droit. La nuque est souple et il n'a pas de céphalées.

1. *L'audiogramme réalisé il y a 1 an montrait une surdité de perception droite unilatérale. Qu'auriez-vous trouvé à l'examen au diapason ?*
2. *Quel est votre diagnostic pour l'épisode actuel ? Justifiez.*
3. *Quelle prise en charge thérapeutique à court terme proposez-vous ?*
4. *Quels examens complémentaires allez-vous prescrire ?*
5. *Voici le résultat d'un examen que vous avez demandé (Figure ci-jointe). Veuillez l'interpréter, en précisant votre diagnostic et les différentes options thérapeutiques de cette maladie.*

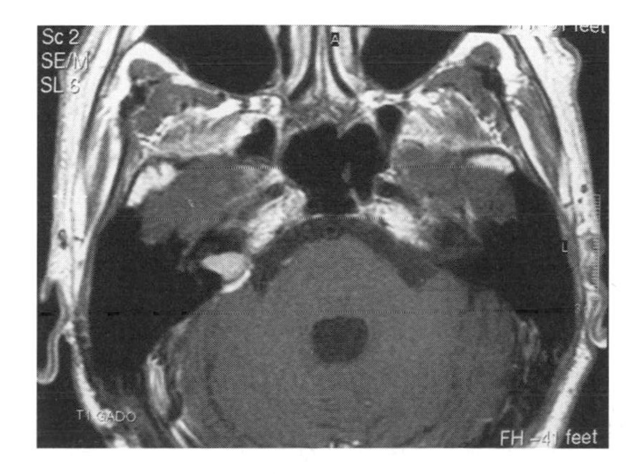

LIENS TRANSVERSAUX

Item 192 : Déficit neurologique récent.
Item 294 : Altération de la fonction auditive.
Item 326 : Paralysie faciale.
Item 345 : Vomissements du nourrisson, de l'enfant et de l'adulte (avec le traitement).

VERTIGE (AVEC LE TRAITEMENT)

DÉFINITION

Sensation erronée de déplacement des objets par rapport au sujet ou du sujet par rapport aux objets.

INTERROGATOIRE

- Antécédents ORL, neurologiques, cardiologiques, prise de médicaments.
- Caractéristiques du vertige : ancienneté, type, durée, mode de début, fréquence, facteurs déclenchants.
- Symptômes associés : nausées, céphalées, signes neurovégétatifs, signes auditifs, neurologiques.

EXAMEN PHYSIQUE

- Examen vestibulaire.
- Examen otoscopique.
- Acoumétrie au diapason (Weber et Rinne).
- Examen neurologique.
- Examen général.

EXAMEN VESTIBULAIRE

Nystagmus (*mouvement oculaire conjugué des 2 yeux comportant 2 phases lente et rapide*) :
- Sens : donné par celui de la secousse rapide.
- Uni- ou multidirectionnel.
- Type : rotatoire, horizontal.
- Intensité.

Déviations segmentaires (ou posturales) :
- Déviation des index (du côté de la secousse lente).
- Épreuve de Romberg (côté secousse lente).
- Épreuve de Fukuda (côté secousse lente).
- Marche en étoile de Babinski et Weill (côté secousse lente).

	SDR VESTIBULAIRE PÉRIPHÉRIQUE	SDR VESTIBULAIRE CENTRAL
Caractère des vertiges	Intense et rotatoire.	+/- Intense, rotatoire ou non.
Signes végétatifs	+++	+
Atteinte cochléaire	+/-	-
Nystagmus	• Unidirectionnel. • Inhibé par la fixation oculaire. • Horizon-rotatoire.	• Multidirectionnel. • Non inhibé par la fixation oculaire. • Horizontal ou vertical ou rotatoire.
Déviations posturales	Syndrome harmonieux.	Syndrome dysharmonieux.
Signes neurologiques associés	-	Céphalées, sdr cérébelleux, atteintes des voies longues, atteinte des nerfs crâniens.

EXAMENS COMPLÉMENTAIRES SELON LA CLINIQUE

- Audiométrie tonale et vocale (surdité de perception ou de transmission) + impédancemétrie.
- Examen vestibulaire calorique calibré, vidéonystagmographie.
- Imagerie cérébrale (IRM sinon scanner) surtout si vertige d'origine centrale.

VERTIGES CENTRAUX

ATTEINTES VASCULAIRES	ÉTIOLOGIES INFLAMMATOIRES	TUMEURS	AUTRES
• AVC ischémique réalisant un syndrome de Wallenberg. • Insuffisance vertébro-basilaire. • Hématome de la fosse postérieure.	SEP.	Fosse postérieure.	• Anomalie de la charnière cervico-crânienne. • Migraine basilaire. • Crises d'épilepsie temporales.

VERTIGES PÉRIPHÉRIQUES

GRAND VERTIGE UNIQUE	• **Névrite vestibulaire** (pronostic excellent) : – crise unique, durée 24 à 48 heures, pas de signes auditifs ; – VNG : aréflexie unilatérale initialement non compensée ; – TTT : de la crise, corticoïdes, rééducation vestibulaire précoce. • Labyrinthite toxique (aminosides) et infectieuse : – bilatérale si toxique ; – unilatérale si infectieuse.
VERTIGES ITÉRATIFS PAROXYSTIQUES	• **Maladie de Ménière** (peu fréquent) : hydrops endolymphatique – durée : 1 à 48 heures, triade : vertige + acouphène + surdité ; – TTT de la crise : anti-vertigeux, anxiolytiques, antiémétiques ; – TTT de fond : régime hyposodé, bétahistines (Serc), diurétiques, vasodilatateurs. Prise en charge psychologique +++. Chirurgie si résistance au TTT médical. • Vertige paroxystique positionnelle bénin (fréquent) (cupulolithiase) : – femme > homme, durée 10 à 60 s, manœuvre de Dix et Hallpike ; – examen physique et paraclinique normaux (pas de signes auditifs) ; – TTT : manœuvre libératoire de Semont.
SENSATIONS D'INSTABILITÉ	• **Neurinome de l'acoustique** (rare) : recherche de NF2 associée : – surdité de perception unilatérale, acouphène, vertige peu intense (instabilité) ; – PEA +++, diagnostic sur l'IRM +++ ; – TTT : surveillance ou chirurgie ou radiothérapie. • Fistule périlymphatique post-traumatique : – signe de la fistule, surdité de perception, scanner +++, TTT chirurgical.

PARTIE III
Stomatologie maxillofaciale

DÉVELOPPEMENT BUCCODENTAIRE ET ANOMALIES

OBJECTIF

- Dépister les anomalies du développement maxillofacial et prévenir les maladies buccodentaires fréquentes de l'enfant.

Une jeune femme de 19 ans vient vous consulter pour tuméfaction cervicale médiane d'apparition récente.
L'interrogatoire ne retrouve aucun antécédent particulier.
L'examen clinique objective cette tuméfaction de 4 cm, sous et adhérente à l'os hyoïde, les aires ganglionnaires sont libres. Le reste de l'examen est normal, il n'existe pas de signes inflammatoires locaux.

1. *Quels sont les étiologies des tuméfactions cervicales médianes ?*
2. *Quels arguments orientent vers un kyste du tractus thyréoglosse ?*
3. *Quels sont les complications fréquentes des kystes du tractus thyréoglosse ?*
4. *Quel examen complémentaire est indispensable avant la chirurgie ?*
5. *Quel traitement proposez-vous ?*

LIENS TRANSVERSAUX

Item 5 : Indications et stratégies d'utilisation des principaux examens d'imagerie.
Item 241 : Goitre et nodule thyroïdien.
Item 256 : Lésions dentaires et gingivales.

DÉVELOPPEMENT BUCCODENTAIRE ET ANOMALIES

LES ANOMALIES MAXILLOFACIALES

VOÛTE CRÂNIENNE

- **Retard de fermeture des sutures** (après le 18e mois pour la fontanelle antérieure (bregmatique) et après le 3e mois pour la postérieure (lambdatique)) → rachitisme +++ et plus rarement une maladie de Pierre Marie et Sainton.
- **Synostose prématurée des sutures** : craniosynostose, grave par son retentissement sur la croissance cérébrale et par l'HTIC chronique qui se développe à bas bruit.

CERVICOFACIALES

KYSTES ET FISTULES BRANCHIALES

- **Kystes du tractus thyréoglosse** (reliquat du tractus thyréoglosse).
- 0-30 ans, adolescent ++.
- Découverte lors d'une surinfection (augmentation brutale du volume et signes inflammatoires locaux).
- Tuméfaction médiane du cou, mobile à la déglutition avec thyroïde normale.
- Chirurgie d'exérèse après vérification d'une thyroïde fonctionnelle (échographie et biologie).
- Complications : surinfection, récidive post chirurgie (exérèse imparfaite).

MAXILLOMANDIBULAIRES

- Rétro/promandibulie et rétro/promaxillie.
- Complications : trouble de l'articulé dentaire
  - Classe II : (classe I = articulé normal) : 1re molaire supérieure : (56 et 66) en avant de la 1re molaire inférieure (76 et 86) ; par retromandibulie ou promaxillie. Aspect de menton fuyant et nez proéminent.
  - Classe III : 1re molaire supérieure (56 et 66) en arrière de la 1re molaire inférieure (76 et 86) ; par promandibulie ou retromaxillie. Menton proéminent.
- Traitement associe orthodontie et chirurgie orthognatique à partir de l'adolescence.

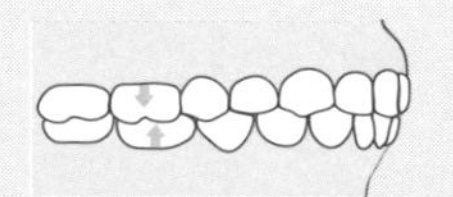

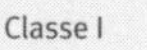

Classe I

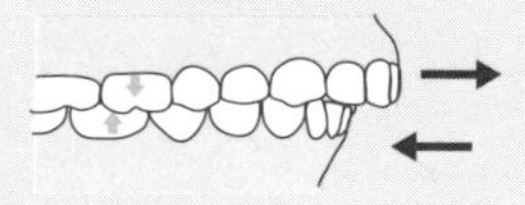

Classe II

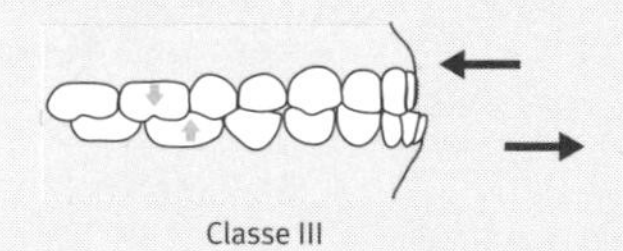

Classe III

BUCCOFACIAL

Fentes labiopalatines :
- Sont plus ou moins complètes, uni- ou bilatérales.
- Isolées ou dans un syndrome polymalformatif.
- Défaut d'accolement d'un ou plusieurs bourgeons faciaux.
- ± Troubles de la phonation, respiration, déglutition, audition.
- Retentissement psychologique et social.
- Traitement : chirurgie précoce, suivi orthophonique +/- orthodontique.
- Syndrome de Pierre-Robin associe : fente palatine, rétromicro-mandibulie, glossoptose par dysmaturité neuromusculaire réversible.

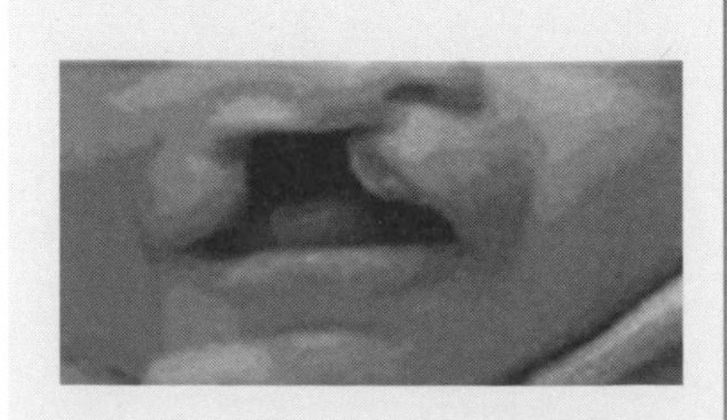

DENTITION

- Temporaire (20 dents) soit par demi-arcade : 2 incisives, 1 canine, 1 prémolaire et 1 molaire.
- Permanente (32 dents) soit par demi-arcade : 2 incisives, 1 canine, 2 prémolaires et 3 molaires (dont 1 dent de sagesse).

NUMÉROTATION INTERNATIONALE DES DENTS

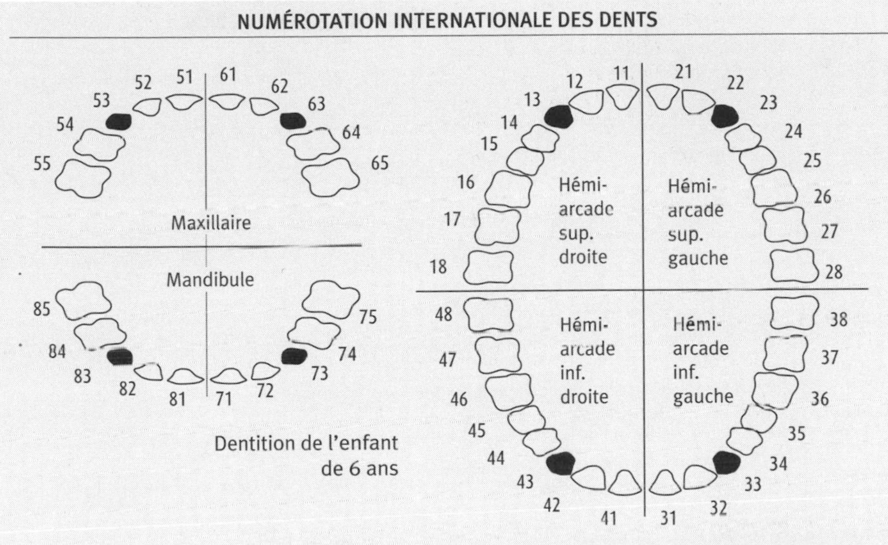

ÉRUPTION DENTAIRE NORMALE

DENTITION LACTÉALE

51-61 81-71	52-62 82-72	53-63 83-73	54-64 84-74	55-65 85-75	-
6-7 mois	7-8 mois	16-20 mois	12-16 mois	20-30 mois	-

DENTITION PERMANENTE

11-21 41-31	12-22 42-32	13-23 43-33	14-24 44-34	15-25 45-35	16-26 46-36	17-27 47-37	18-28 38-48
6-7 ans	7-8 ans	8 ans (13-23) 11 ans (43-33)	10 ans	11 ans		12 ans	18 ans

LES ACCIDENTS D'ÉRUPTION

- Malposition dentaire.
- Inclusion dentaire (non symptomatiques).
- Agénésie, oligodontie et anodontie.
- Dent surnuméraire.
- Amélogénèse imparfaite (exceptionnelle).
- Péricoronatite des dents de sagesse.

PRÉVENTION DE LA CARIE DENTAIRE CHEZ L'ENFANT

- Hygiène buccodentaire : brossage des dents après chaque repas, à partir de 2-3 ans.
- Alimentation modérée en hydrate de carbone.
- Supplémentation fluorée.
- Rdv annuel chez le dentiste pris en charge par la Sécurité sociale.

ÉVALUATION DE LA GRAVITÉ ET RECHERCHE DES COMPLICATIONS PRÉCOCES

CHEZ UN TRAUMATISÉ CRANIOFACIAL

OBJECTIF

- Identifier les situations d'urgence.

Mme F., 31 ans, est amenée par les pompiers aux urgences de chirurgie maxillo-faciale pour prise en charge d'un traumatisme facial avec chute sur le menton. Elle raconte qu'elle était au cinéma avec son ami qui l'a convaincu de regarder un film d'horreur. Ne se sentant pas bien au début du film avec un épisode de chaleur, sudation et faiblesse générale, elle a voulu sortir de la salle. Elle vous raconte alors qu'elle s'est levée puis a chuté sans pouvoir se retenir : une chute directe sur le menton. Le pompier qui était sur place vous donne ces informations : il est arrivé rapidement dans la salle et a retrouvé la jeune femme allongée, l'HGT était à 1,5 g ; le pouls à 45/minute ; la PA à 81-42 mmHg. La patiente était pâle et en sueur. Son ami raconte qu'elle est restée inconsciente quelques secondes.

1. *Quel est le diagnostic le plus probable concernant ce malaise ?*
2. *Quel est la prise en charge sur place concernant ce malaise ?*

Votre examen aux urgences retrouve une patiente consciente, constantes normales. L'examen du massif facial montre une plaie contuse de 3 cm du menton, la douleur est prétragienne bilatérale et symphysaire. Il existe à l'examen endobuccal des fractures coronaires des dents 36-37, 47 et 16, et une plaie gingivale entre les dents 31 et 32 avec une mobilité osseuse. Il existe un contact molaire prématuré, pas d'hypoesthésie du V3. Vous suspectez une fracture tri-focale de mandibule : condylienne bilatérale et symphysaire. Le reste de l'examen maxillofacial est normal.

3. *Quel(s) examen(s) radiologique(s) demandez-vous ?*

L'imagerie montre une fracture symphysaire de mandibule et bicondylienne. Les fractures bi-condyliennes sont intra-articulaires. Le traitement chirurgical entrepris est alors une réduction de la fracture et une ostéosynthèse symphysaire par plaques avec blocage intermaxillaire de 1 semaine.

4. *Pourquoi le temps de blocage est-il limité ?*
5. *Quelles sont les précautions à prendre chez un patient ayant un blocage intermaxillaire ?*
6. *Du point de vue médicolégal, que ne faut-il pas oublier concernant les dents ?*

LIENS TRANSVERSAUX

Item 10 : Responsabilités médicale pénale, civile, administrative et disciplinaire.
Item 206 : Hypoglycémie.
Item 209 : Malaise, perte de connaissance, crise comitiale chez l'adulte.
Item 313 : Épistaxis (avec le traitement).

TRAUMATISME FACIAL

ÉPIDÉMIOLOGIE

- Homme jeune (18-25 ans).
- AVP, rixe, accident de sport.

ÉLIMINER UNE SITUATION D'URGENCE +++

- Obstruction des VAS (corps étranger, fracture mandibule).
- Choc hémorragique (épistaxis, trauma associé, plaie scalp).
- Urgence neurologique (HED, HSD aigu) ou OPH.

EXAMEN CLINIQUE

(chez un patient stabilisé)

- Interrogatoire : heure, violence, circonstances du trauma. Antécédents du patient.
- Clinique : examen d'une polytraumatisé (rectitude rachis, recherche d'une PC, choc...) :
  - palpation douce des massifs osseux, sensibilité de la face (V1, V2, V3) ;
  - examen endobuccal (lésions dentaires à noter : médicolégal +++) ;
  - examen OPH (motricité, acuité, diplopie) : urgence fonctionnelle.

FRACTURES DE MANDIBULE (UNI-, BI- OU TRIFOCALES PAR ASSOCIATION LÉSIONNELLE)

FRACTURES DU CONDYLE

- Fréquente chez enfant.
- Choc sur le menton (plaie mentonnière).
- Uni-/bilatérale, extra/intra-articulaire.
- Tuméfaction préauriculaire douloureuse.
- Trismus, propulsion limitée.
- +/- Latérodéviation du côté fracturé.
- Contact molaire prématuré homolatéral.

FRACTURE DE LA PORTION DENTÉE + ANGLE MANDIBULAIRE

- Choc sur la mandibule.
- Douleur, plaie gingivale en regard.
- Diastème interdentaire, et mobilité osseuse anormale ++.
- Articulé dentaire modifié.
- Hypoesthésie V3 homolatérale (à noter +++).
- Déplacement selon attraction musculaire.

Panoramique dentaire

Si forme compliquée (trauma rachis associé...) : TDM.

TRAITEMENT

- Médical (fractures condyliennes +++) :
  - antibiotique (si effraction muqueuse) et bains de bouche ;
  - alimentation molle 3 semaines ;
  - rééducation mandibulaire.
- Chirurgical :
  - réduction + ostéosynthèse ;
  - blocage intermaxillaire 3 semaines (ciseaux de Bee-bee +++).

COMPLICATIONS

- Immédiate : fracture parasymphysaire bilatérale : asphyxie par glossoptose.
- Ankylose temporomandibulaire (fracture condylienne capitale : intra-articulaire) entraîne une constriction permanente des maxillaires (importance de la rééducation ++).
- Hypo-esthésie du V3 (patient est prévenu).
- Modification de l'articulé dentaire (fréquent avec risque de SADAM à long terme).

TRAUMATISME FACIAL

FRACTURE	CLINIQUE	IMAGERIE	TRAITEMENT
1/3 SUPÉRIEUR			
Fracture du sinus frontal	• Inspection : enfoncement. • Hypoesthésie V1.	**TDM massif facial** : bilan lésionnel.	Urgence si fracture de paroi post. du sinus: chirurgie + ATB.
Fracture du toit de l'orbite	• Hypoesthésie V1. • Exophtalmie, diplopie.		ATB (*Augmentin*) +/- chirurgie.
1/3 MOYEN DE LA FACE			
Fracture des OPN	• Éventuellement déplacée. • Urgence : dyspnée, épistaxis, hématome de cloison	**Rx des OPN.**	ATB + lavage des fosses nasales +/- réduction chirurgicale.
Fracure du complexe naso-ethmoïdo-fronto-orbitaire (CNEMFO)	• Télé-canthus. • Écchymose en lunettes (fr. de l'ethmoïde). • Recul de la pyramide nasale. • Méplat frontal (fr. sinus frontal). • Diplopie, énophtalmie (fr. plancher de l'orbite). • Rhinorrhée cérebrospinale (fr. de la lame criblée de l'ethmoïde).	**TDM massif facial + TDM rachis cervical** : bilan lésionnel.	ATB + chirurgie (j3-j4) après fonte de l'œdème.
Fractures du malaire	• Choc sur pommette (enfoncement). • Marche d'escalier à la palpation de la margelle orbitaire inférieure. • Rupture du cintre maxillomalaire (palpation en bouche et visible sur le Blondeau). • Hypoesthésie du V2. • Rechercher une diplopie en faveur d'une fracture associée du plancher de l'orbite). • 2 formes cliniques particulières : – *fracture isolée de l'arcade zygomatique* : enfoncement de l'arcade +/- limitation d'ouverture buccale ; – *fracture du plancher de l'orbite* : choc direct sur le globe (*blow out*, sans fracture associée du malaire) ou choc sur le malaire (fr. irradiée au plancher de orbite). • Énophtalmie, diplopie. • Oculomotricité recherche une incarcération du muscle droit inférieur (fracture « en trappe » chez l'enfant).	**Blondeau :** hémosinus homolatéral, rupture du cintre maxillomalaire, décallage osseux sur la margelle infra-orbitaire (marche d'escalier clinique). **TDM :** si fracture compliquée ou doute sur le plancher.	• Médical : – proscrire le mouchage (emphysème sous cutané) ; – lavage des fosses nasales (sérum physiologique.) ; – ATB ; – antalgique ; – pommade oph ATB et cicatrisante (type vit. A). • Chirurgical si besoin : – réduction au crochet de Ginestet ; – +/- fixation par microplaque.

FRACTURE	CLINIQUE	IMAGERIE	TRAITEMENT
1/3 MOYEN DE LA FACE			
Fractures de Lefort Elles sont occluso-faciales (modifient l'occlusion dentaires en entraînant un contact molaire prématuré +/- une béance interincisive).	• Lefort I détache le plateau palato-dentaire du massif facial : – fracture septum nasal + 2 côtés de la paroi lat. de la fosse nasale + paroi antérieure et postérieure du sinus maxillaire + processus ptérygoïde ; – choc sous nasal ; – écchymose vestibulaire en fer à cheval ; – mobilité du maxillaire par rapport au reste de la face. • Lefort II détache le plateau palato-dentaire + pyramide nasale du reste du massif facial : – fracture os nasal + branche montante du maxillaire + paroi médiale et plancher de l'orbite + paroi antérieure et postérieure du sinus maxillaire + processus ptérygoïde ; – recul de la région nasale interorbitaire ; – écchymose palpébrale en lunette ; – hypoesthésie V2 ; – mobilité du maxillaire + pyramide nasal par rapport au reste du massif facial. • Lefort III détache le massif facial de la base du crâne : – fracture jonction fronto-nasale + branche montante du maxillaire + paroi médiale et latérale de orbite + processus ; zygomatique + processus ptérygoïde ; – enfoncement de la face + œdème +++ ; – effondrement de la pyramide nasale ; – mobilité du massif facial par rapport à la base du crâne.	**TDM massif facial** + **TDM rachis cervical** : bilan lésionnel.	• Antalgique. • ATB. • Réduction-fixation des fractures par microplaques à j3-j4 après fonte de l'œdème et toujours différées par rapport aux urgences neurochirurgicales et OPH. • Reprises fréquentes du traitement chirurgical pour les fractures complexes (séquelles esthétiques).

Classification de Lefort	*Fracture du plancher de l'orbite droit*	*Fracture malaire gauche*
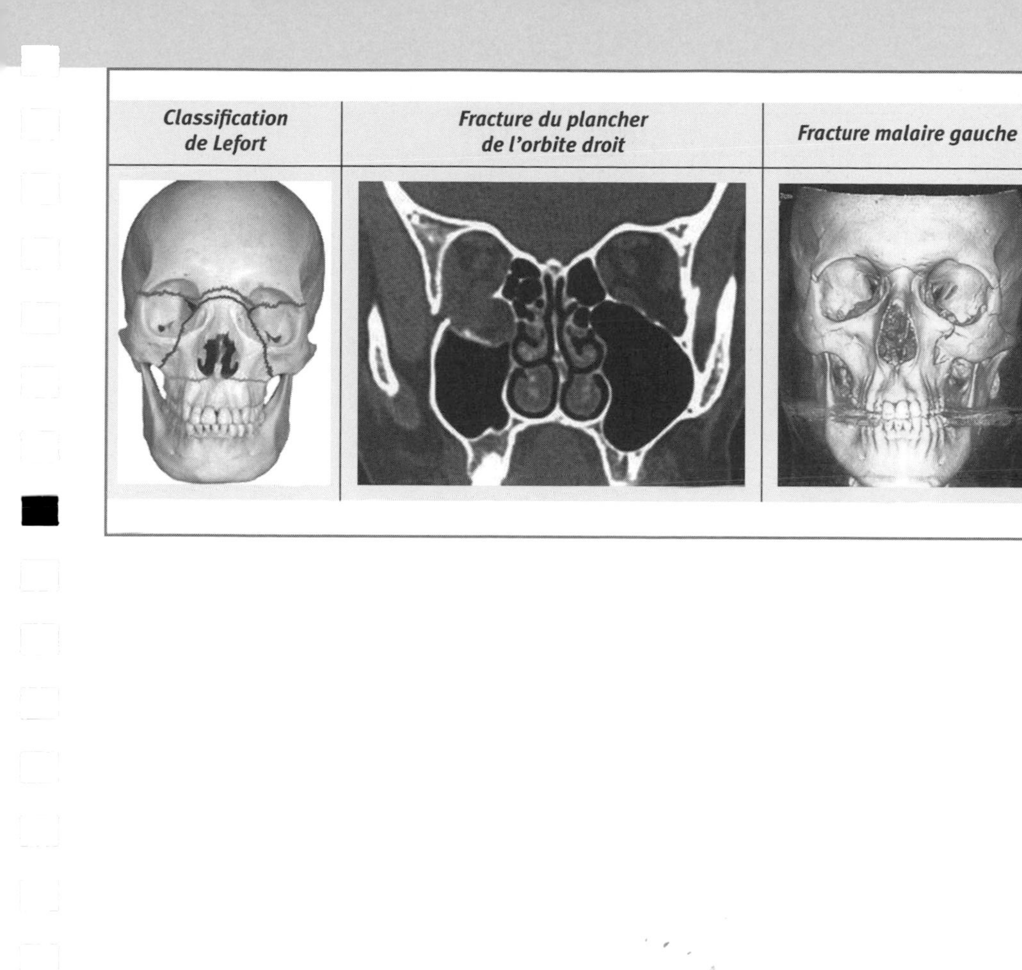		

LÉSIONS DENTAIRES ET GINGIVALES

OBJECTIF

- Diagnostiquer les principales lésions dentaires et gingivales.

De garde aux urgences, vous recevez M. I., 58 ans, pour douleur dentaire évoluant depuis 72 h. La douleur n'est plus calmée par les antalgiques (aspirine et doliprane).

Depuis ce matin, le tableau s'est aggravé avec présence d'une tuméfaction jugale basse douloureuse, pas d'adénopathie cervicale associée.

L'examen endobuccal montre un mauvais état dentaire avec polycaries et la dent 45 est douloureuse spontanément et au contact. La douleur est pulsatile et calmée par le froid. Il existe une collection vestibulaire en regard de cette dent.

Les antécédents sont marqués par un diabète de type 2, « difficilement équilibré », un tabagisme non sevré à 22 paquets-année, obésité (BMI = 30), HTA. TC : 38,5 °C, pouls : 88, PA : 170-108 mmHg.

Le foyer infectieux dentaire était déjà connu ; le patient vous montre son cliché retro-alvéolaire centré sur la dent 45. Il a été réalisé il y a 3 mois devant une sensibilité dentaire augmentée sur cette dent, notamment lors de l'ingestion d'aliments sucrés.

D'un point de vue strictement dentaire :

1. *Quel était le diagnostic il y a 3 mois et aujourd'hui ?*

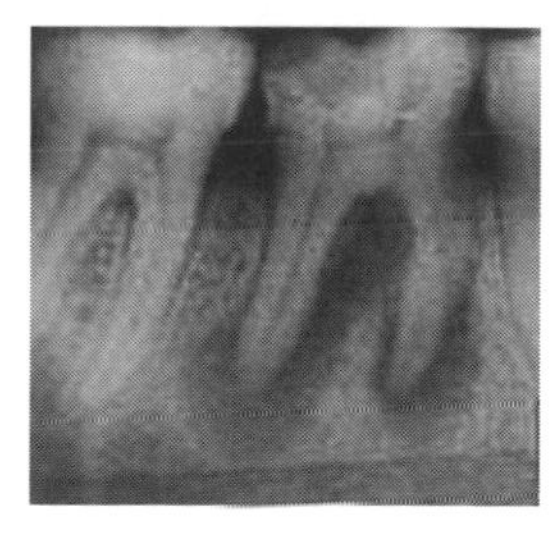

2. *Analysez ce cliché retro-alvéolaire.*
3. *Quels sont ici les signes de gravité ?*
4. *Quel est votre traitement ?*
5. *À la sortie de l'hospitalisation, quels conseils allez-vous donner (concernant le diabète et les infections stomatologiques) ?*

LIENS TRANSVERSAUX

Item 35 : Douleurs buccales.
Item 90 : Infections nasosinusiennes de l'enfant et de l'adulte.
Item 200 : État de choc.
Item 207 : Infection aiguë des parties molles (abcès, panaris, phlegmon des gaines).
Item 233 : Diabète sucré de type 1 et 2 de l'enfant et de l'adulte.

LÉSIONS DENTAIRES ET GINGIVALES

ANATOMOPATHOLOGIE/DÉFINITIONS

- **Carie :** destruction des tissus durs de la dent par déminéralisation (atteinte de l'émail + dentine).
- **Pulpite :** inflammation de la pulpe dentaire (secondaire à une carie ou traumatisme). Séreuse ou purulente.
- **Parodontite :** inflammation du parodonte (gingivite, desmodontite, alvéolite).
- **Desmodontite :** inflammation du ligament alvéolo-dentaire (desmodonte).
- **Alvéolite :** inflammation de l'os alvéolaire (post-avulsion +++).
- **Péricoronarite :** inflammation autour d'une couronne sous-gingivale (dent de sagesse inférieure chez l'adolescent +++).
- **Cellulite :** infection du tissu cellulaire péri-maxillaire (complication des infections alvéolo-dentaires).

FACTEURS DE RISQUE DES CARIES

- Mauvaise hygiène dentaire.
- Facteurs individuels.
- Influence du temps.

CARIE	PULPITE	DESMODONTITE
	CLINIQUE (AVEC MIROIR + SONDE)	
• Initialement tache blanche de l'émail (réversible) puis cavitation. • Douleur : inexistante avant atteinte de la dentine, puis provoquée (sucres, acides, chaud/froid). • Douleur spontanée si atteinte pulpaire. • Ombre opaque à la transillumination. • Radio : cavité dentaire (lacune).	• Séreuse : – douleur spontanée, à l'effort, au décubitus ; – nocturne et intense (« rage de dent ») ; – paroxystique ; – augmentée par le contact, froid +++ ; – percussion axiale indolore ; – carie (cavité dentaire). • Purulente : – douleur spontané et pulsatile, au chaud (calmée par le froid), à l'effort ; – percussion axiale + transversale : douleur ; – évolution vers nécrose pulpaire (dent grise, disparition des douleurs).	• Succède généralement à la pulpite. • Aiguë : – douleur à la mastication ou spontanée ; – lancinante, pulsatile ; – au chaud, à l'effort ; – cavité carieuse, dent grisâtre mortifiée et gencive érythémateuse ; – radio : élargissement desmodonte. • Suppurée : – évolution de desmodontite aiguë ; – douleur provoquée à la mobilité, percussion ; – radio : granulome apical.

TRAITEMENT

Panoramique dentaire/Clichés retro-alvéolaire/radio interproximal (dents centrales +++) ;

Préventif +++ : • Hygiène dentaire. • Hygiène alimentaire (éviter les grignotages et les aliments sucrés). • Fluor. • Suivi régulier.	• Pulpectomie totale et secondairement obturation canalaire. • Antibiothérapie. • Antalgiques.	• Antibiothérapie. • Trépanation dentaire et drainage de l'infection (forme suppurée).

CELLULITES FACIALES D'ORIGINE DENTAIRES

FORMES CLINIQUES

(on recherche toujours la dent en cause +++)

<table>
<tr><th colspan="3">CELLULITE CIRCONSCRITE</th><th>CELLULITE DIFFUSE</th></tr>
<tr><td colspan="4">CLINIQUE</td></tr>
<tr><td>Stade séreux (inflammatoire)
• Douleur jugale.
• Tuméfaction jugale.
• Peau lisse, tendue, érythémateuse.
• Douleur de la dent causale.</td><td>Stade collecté
• Idem et majoration des signes cliniques + AEG.
• Trismus.
• Abcès vestibulaire en regard de la dent en cause.</td><td>Stade chronique
• Succède à une cellulite aiguë insuffisamment traitée ou sans traitement de la dent.
• Ostéite avec fistulisation cutanée.
• Possible réchauffement.</td><td>Tableau gravissime
• FDR : immunodépression, SIDA, AINS.
• Anaérobies.
• Nécrose rapide et étendue des tissus avec fusées purulentes.
• Choc infectieux et pronostic vital en jeu.</td></tr>
<tr><td colspan="4">TRAITEMENT</td></tr>
<tr><td>• Médical :
– antibiothérapie (Augmentin 1 g x 3/j pour 10 j) ;
– antalgique ;
– bain de bouche ;
– arrêt de tout traitement anti-inflammatoire ;
– anticoagulation préventive si œdème palpébral inférieur ;
– traitement de la dent causale.</td><td>• Médical :
– Idem ;
– avec ponction (bactério) puis incision de l'abcès vestibulaire ;
– antibiothérapie à large spectre et secondairement adaptée à l'antibiogramme.</td><td>• Médical :
– idem ;
– avec prélèvement bactériologique du liquide de la fistule ;
– antibiothérapie à large spectre et secondairement adaptée à l'antibiogramme.
• Chirurgie :
– rarement nécessaire : éradication du foyer d'ostéite.</td><td>• Réanimation :
– nursing ;
– prise en charge du choc infectieux (QS) ; double antibiothérapie à large spectre et synergique.
• Chirurgie :
– excision des tissus nécrotiques ;
– lavage et drainage important (incision laissée largement ouverte) au bloc puis pluriquotidien ;
– pansement pluriquotidien.</td></tr>
</table>

COMPLICATIONS

- Thrombose de la veine faciale :
  - cordon induré sur le trajet de la veine faciale, œdème du canthus interne et douleur élective ;
  - peut se compliquer de thrombose du sinus caverneux.
- Dysphagie, trismus, dyspnée pour les cellulites jugales basses (dents mandibulaires) avec œdème du plancher buccal.
- Choc infectieux et pronostic vital en jeu.
- Récidive et chronicisation (traitement étiologique +++).

PATHOLOGIE DES GLANDES SALIVAIRES

OBJECTIF

- Diagnostiquer une pathologie infectieuse, lithiasique, immunologique et tumorale des glandes salivaires.

M. P., 56 ans, consulte aux urgences pour tuméfaction cervicale droite douloureuse apparue depuis quelques heures à la suite du repas. Il vous informe qu'il avait déjà eu ces épisodes de tuméfactions mais qu'ils étaient alors indolores et régressaient rapidement.
Le patient est apyrétique, constantes normales.
La tuméfaction est sous-maxillaire droite, sans adénopathie associée.
L'examen endobuccal retrouve 2 calculs sur le trajet du canal de Wharton à droite, la pression de la tuméfaction ne fait pas soudre de salive ni de pus à l'orifice du canal.

1. *Quel diagnostic évoquez-vous ?* [1999]
2. *Des examens sont-ils nécessaires à ce stade ?* [1999]
3. *Quel est le traitement de cet épisode ?*

Le traitement est efficace mais le patient consulte de nouveau 2 mois plus tard avec également une tuméfaction sous mandibulaire droite douloureuse. La peau est rouge, tuméfiée.
La fièvre est à 38,6 °C. Le plancher buccal est douloureux, l'ostium du canal de Wharton est tuméfié à droite.

4. *Quel signe pathognomonique vous confirme le diagnostic de sous-maxillite aiguë droite bactérienne ?*
5. *Quel est le traitement ? Que pourra-t-on proposer à froid ?* [1999]

Le patient consulte selon vos prescriptions à 48 h. Votre traitement est efficace sur la sous-maxillite. Mais depuis ce matin le patient se plaint de glossite à type de brûlures avec dysgueusie.

6. *Quel est le diagnostic le plus probable ? Quel sera l'aspect endobuccal ?*
7. *Quel est le médicament en cause ?*
8. *Quel est le traitement de cet épisode ?*

LIENS TRANSVERSAUX

Item 173 : Prescription et surveillance des anti-infectieux.
Item 291 : Adénopathie superficielle.
Item 305 : Douleur buccale.

PATHOLOGIE DES GLANDES SALIVAIRES

LITHIASES SALIVAIRES

Peut intéresser toutes les glandes salivaires (**sub-mandibulaire** [80 %], sub-linguale et parotidienne [20 %]).

ÉTIOLOGIE

- Sténose canalaire (compression extrinsèque par tumeur, malformation canalaire, inflammation...).
- Calculs (sel de Ca^{2+}).

FACTEURS FAVORISANTS

Stase salivaire par :
- Hyposialie (déshydratation, médicaments).
- Spasme- rétrécissement canalaire.
- Lésion inflammatoire.
- Foyer infectieux dentaire.

CIRCONSTANCES DE DÉCOUVERTE

Fortuites sur un cliché radiologique (panoramique dentaire...) ou :

Accidents mécaniques		Accidents infectieux
Hernie salivaire	***Colique salivaire***	Inauguraux ou post-hernie/colique avec douleur locale +++ et syndrome infectieux local + général :
• Tuméfaction douloureuse fugace d'une glande salivaire. • Lors d'1 repas +++. • Disparaît dans un flux salivaire propre. • Récidivante, de +/+ proche.	• Arrêt du flux salivaire par enclavement du calcul. • Tuméfaction douloureuse ++. • Apparition + sédation brutale. • Concomitante de la hernie. • Tuméfaction peut persister quelques heures.	• submandibulite aiguë ; • whartonite : cellulite du plancher buccal ; • periwhartonite : abcès pericanalaire.

EXAMEN CLINIQUE

Accidents mécanique	Accidents infectieux (pus à l'ostium du canal de Warthon)		
	Submandibulite aiguë	***Whartonite***	***Periwhartonite***
• Ostium inflammatoire et salive claire.	• Loge glandulaire chaude, tendue, érythémateuse. • Dysphagie +++.	• Douleur vive + otalgie réflexe. • Dysphagie. • Hypersialorrhée.	• Douleur +++. • Trismus. • Tuméfaction du plancher buccal.

EXAMENS PARACLINIQUES

RADIOLOGIQUE (LITHIASE CALCIQUE RADIO OPAQUE)

- Panoramique dentaire, Rx occlusale endobuccale.
- Échographie.
- +/- Sialographie (en absence infection) si doute.

INFECTIEUX AU BESOIN

- NFS-plaquettes.
- CRP.
- Hémocultures, prélèvements locaux.

TRAITEMENT

- **Médical :** réhydratation + sialagogues (teinture de Jaborandi, *Sulfarlem*), hygiène buccale, antispasmodique (*Spasfon*), ATB si besoin (macrolides puis adaptés à l'antibiogramme).
- **Chirurgical :** après échec du traitement médical, récidives fréquentes d'accidents mécaniques ou infectieux, drainage d'une collection purulentes en urgence (sinon on préfère la chirurgie à froid).
- **Endoscopique** par sialendoscopie qui permet l'ablation des lithiases (équipes spécialisées).

TUMEURS DES GLANDES SALIVAIRES

ÉPIDÉMIOLOGIE

3 % des tumeurs de la face et du cou, parotidiennes pour 90 % (dont 50 % adénome pléomorphe).

ANATOMOPATHOLOGIE

TUMEURS BÉNIGNES

- Adénome pléomorphe +++ (tumeur mixte).
- Adénolymphome (cystadénolymphome).
- Oncocytome.
- Angiomes, lipomes...

MALIGNITÉ INTERMÉDIAIRE

- Tumeur à cellules muco-épidermoïdes.
- Tumeur à cellules acineuses.

TUMEURS MALIGNES

- Cylindromes (carcinomes adénoïdes kystiques) +++.
- Adénocarcinomes.
- Carcinomes épidermoïdes.
- Métastases, lymphomes.

CLINIQUE TYPIQUE

ADÉNOME PLÉOMORPHE

- ♀ jeune (3 ♀ / 1 ♂).
- Tumeur indolore, mobile, arrondie, lisse.
- Évolution lente.

ADÉNOLYMPHOME

- ♂ 50-60 ans.
- Tumeur indolore, mobile, arrondie, lisse et parfois fluctuante.

TUMEURS MALIGNES

- Tumeur douloureuse + fixée + irrégulière + dure.
- Évolution rapide.
- Paralysie faciale périphérique.
- Adénopathies cervicales.
- Contexte d'AEG.

EXAMENS PARACLINIQUES

- **IRM :** examen de choix pour les tumeurs des parties molles.
- Échographie +/- cytoponction (valeur d'orientation, résultats aléatoires, peu d'intérêt).
- TDM, scintigraphie Tn99m (cylindromes).
- **Jamais de biopsie aveugle** (risque pour le VII, fistule salivaire, plaie veine faciale, plaie carotide externe).
- NFS (hémopathie maligne), IDR tuberculinique.

TRAITEMENT

- Parotidectomie et examen histologique.
- Est diagnostique + thérapeutique.
- Même pour les tumeurs bénignes (risque de dégénérescence maligne).
- Respectant le n. facial si tumeur bénigne, +/- si tumeur maligne.

COMPLICATIONS DE LA CHIRURGIE

- Traumatisme du nerf facial : parésie post-op de quelques semaines, ou paralysie si section.
- Dépression rétromandibulaire.
- Fistule salivaire (parotidectomie incomplète).
- Syndrome de Frey (10 à 50 % des parotidectomies).
- Sécrétion sudoripare prétragienne pdt mastication.

INFECTION DES GLANDES SALIVAIRES

ÉTIOLOGIES

AIGUËS		CHRONIQUES
Bactériennes	**Virales**	**Bactériennes**
• Staphylocoque doré.	• Parotidite ourlienne +++. • Coxsackie A, VIH.	• Staphylocoque doré. • Flore buccale.

CLINIQUE : TUMÉFACTION PAROTIDIENNE DOULOUREUSE ASSOCIÉE À

• Déshydratation (sujet âgé, grossesse...). • Diabète, immunodéprimé. • Défaut d'hygiène buccale. • Signes inflammatoires locaux. • Pus au Sténon.	• Enfant non vacciné. • Contage, épidémie. • Incubation 21 j. • Fièvre + otalgie réflexe. • Tuméfaction uni puis bilatérale. • Salive claire au Sténon.	• ATCD parotidite aiguë, lithiase, Sjögren. • Suppuration intermittente. • Défaut hygiène buccale. • Tuméfaction chronique.

TRAITEMENT

• Réhydratation + sialagogue. • Hygiène buccale. • ATB : Péni M. • Antispasmodique.	• Repos, isolement (contagiosité : 7 j avant et 7 j après le début des symptômes). • Prévention : ROR.	• *Idem* aiguë. • ATB selon antibiogramme. • Plus rarement chirurgie.

DOULEUR BUCCALE

OBJECTIF

- Argumenter les principales hypothèses diagnostiques et justifier les examens complémentaires pertinents.

M. G, 60 ans, est adressé par son dentiste pour prise en charge d'une lésion ulcérée de la cavité buccale.
Il n'existe pas d'antécédents particuliers, mais le patient vous avoue être fumeur et consommer « une bouteille de vin par jour ». Pas de prise médicamenteuse. Apyrétique.
L'examen trouve une pâleur cutanée, l'ulcération mesure environ 0,5 cm x 0,5 cm, sur la face interne de la joue gauche. Le patient ne sait pas dire depuis combien de temps cette lésion existe.

1. *Quels sont les critères de malignité d'une ulcération buccale ?* [2000]
2. *Quel est le geste à effectuer en première intention ?*

En fin de geste, le patient ne peut plus fermer la bouche ; il existe un bavage et douleur condylaire bilatérale.

3. *Quel est votre diagnostic ?*
4. *Quelle est votre prise en charge de cette complication.*

L'examen histologique met en évidence une lésion inflammatoire non spécifique, sans signe de malignité.
Devant la pâleur cutanéo-muqueuse, vous aviez demandé une NFS : GB : 25 000/mL avec présence de blastes, GR : 8,7 g/dL, plaquettes : 87 000. La poursuite de l'examen clinique met en évidence des adénopathies cervicales bilatérales et axillaires gauches.

5. *Quel type de pathologie soupçonnez-vous comme étiologie principale de l'ulcération buccale ?*

LIENS TRANSVERSAUX

Item 77 : Angines et pharyngites de l'enfant et de l'adulte.
Item 85 : Infection à VIH.
Item 145 : Cancers de la cavité buccale et des voies aérodigestives supérieures
Item 162 : Leucémies aiguës.

DOULEUR BUCCALE

PATHOLOGIES DES MUQUEUSES

CLINIQUE

- Interrogatoire : âge, irritation chronique chimique (tabac-alcool) ou physique (appareil dentaire), ATCD médicaux et terrains immunodéprimés, médicaments, carences éventuels.
- Durée et évolution de la symptomatologie (aigue ou chronique), récurrence.
- Signes fonctionnels associés : douleur, dysphagie, dysphonie.
- Endobuccal : lésion élémentaire, induration, fixité aux tissus profonds, unique/multiple, taille, trophicité de la muqueuse, homogénéité de la lésion.
- Recherche des lésions précancéreuses : **leucokératoses, lichen érosif** ou **atrophique**, modification de l'aspect d'une lésion préexistante, papillomatose orale, mélanome buccal, **érythroplasie de Queyrat**.
- Exobuccal : ADP, lésions dermatologiques associées, fièvre, points d'appel infectieux.

⇨ **Biopsie et examen anatomopathologique** au moindre doute, examen parasitologique, virologique.

LÉSION ÉLÉMENTAIRE	ÉTIOLOGIES DES STOMATITES
ÉRYTHÈME (LÉSION ROUGE)	• EBV, rougeole (signe de Köplik +++), oreillons, VIH, syphillis, coxsackie A (herpangine). • Traumatisme. • Médicaments (chronicité et imputabilité). • Érythroplasie de Queyrat : étendues et superficielles, bords irréguliers, aspect velouté. • Candidose : glossite et stomatite à type de brûlure, immunodépression, corticoïde inhalé ++.
KÉRATOSE (LÉSION BLANCHE)	• Lichen plan et état pré-lichénien : plage blanchâtre souple, adhérente. Suspect si inhomogène. • Dysplasies (OIN) et carcinomes *in situ*. • Réactionnels (tabac, traumatismes répétés...). • Candidoses.
VÉSICULE	• Virus +++ : HSV1, VZV, VIH, coxsackie.
BULLE	• Pemphigus (pemphigoïde bulleuse plus rarement) ou autre maladie bulleuse auto-immune, épidermolyse bulleuse. • Médicaments : syndrome de Stevens-Johnson, Lyell.
ULCÉRATION	• Hémopathie, neutropénie. • VIH. • Médicaments, dénutrition, traumatisme. • Aphtes, Behçet.

DOULEUR BUCCALE

TRISMUS

DÉFINITION

Limitation transitoire +/- complète de l'ouverture buccale par contraction des muscles élévateurs de la mandibule.

EXAMEN CLINIQUE

- Mode d'installation (brusque/progressif), douleur, évolution (continu/paroxystique).
- Signes associés (fièvre, AEG), trauma associé, aspect lâche ou serré, uni/bilatéral.

ÉTIOLOGIES

- Elles sont locales ou générales.
- ***Locales :***
  - infectieuses +++ : trismus d'autant plus serré que la dent infectée est postérieure ;
  - traumatiques : contexte évident, fracture mandibulaire et maxillozygomatique ;
  - tumorales : sans régression sous traitement antibiotique, contexte néoplasique et FDR.
- ***Générales,*** caractérisées par leur aspect intermittent ou paroxystique +++ :
  - néonatal : de mauvais pronostic (associé à une dysmaturité du tronc cérébral) ;
  - tétanos (rare) : contexte vaccinal, blessure. Le trismus est le 1er signe, bilatéral et +/- symétrique, intermittent et modéré au début, puis contracture tonique et douloureuse, aggravation paroxystique puis irréductibilité ;
  - méningite aiguë : trismus est un signe de contracture (*idem* Kernig et Brudzinski) → PL ;
  - autres : tétanie, coma hypoglycémique, affections neurologiques (chorée, AVC, Parkinson...), neuroleptiques.

PATHOLOGIES DE L'ATM : SYNDROME ALGODYSFONCTIONNEL DE L'APPAREIL MANDUCATEUR (SADAM)

- Prédominance chez la ♀ jeune, mais présent dans les 2 sexes à tout âge.
- FDR : troubles de occlusion dentaire (prothèses mal adaptées ++), traumatisme, arthropathie, bruxisme.

CLINIQUE

- Douleur d'intensité variable, spontanée ou provoquée à la mastication, palpation.
- Le plus souvent diurne, au niveau de l'articulation ou otalgie ou temporale, unilatérale >> bilatérale.
- **Craquement** de ATM (perçu par le patient et palpable), voire **ressaut** (sensation de sub-luxation unilatérale).
- Recherche de trouble de l'occlusion dentaire.
- Évolution : fluctuante et augmentée par fatigue/stress et favorable si prise en charge étiologique.
- Imagerie : panoramique dentaire et clichés d'ATM donnent une étude grossière, IRM ou arthroTDM.

TRAITEMENT

- Étiologique +++ (orthodontie, compenser les avulsions, réajuster les prothèses, gouttières...).
- On rassure le patient et calmer les angoisses au besoin + antalgiques.
- Gouttière de libération occlusale et kinésithérapie de relaxation musculaire.
- Chirurgie exceptionnelle : arthrotomie, réduction chirurgicale de la luxation discale.

LUXATION TEMPOROMANDIBULAIRE

- Luxation antérieure et bilatérale le plus souvent.
- Impossibilité de fermer la bouche à la suite d'une ouverture buccale forcée : bâillement, rire, soins dentaires.
- Aspect médian du menton, incontinence salivaire, vacuité des fosses mandibulaires.
- Radiographie inutile au diagnostic (panoramique dentaire) montrant la luxation.
- Traitement : réduction orthopédique par manœuvre de Nelaton, patient rassuré et parfois prémédiqué.

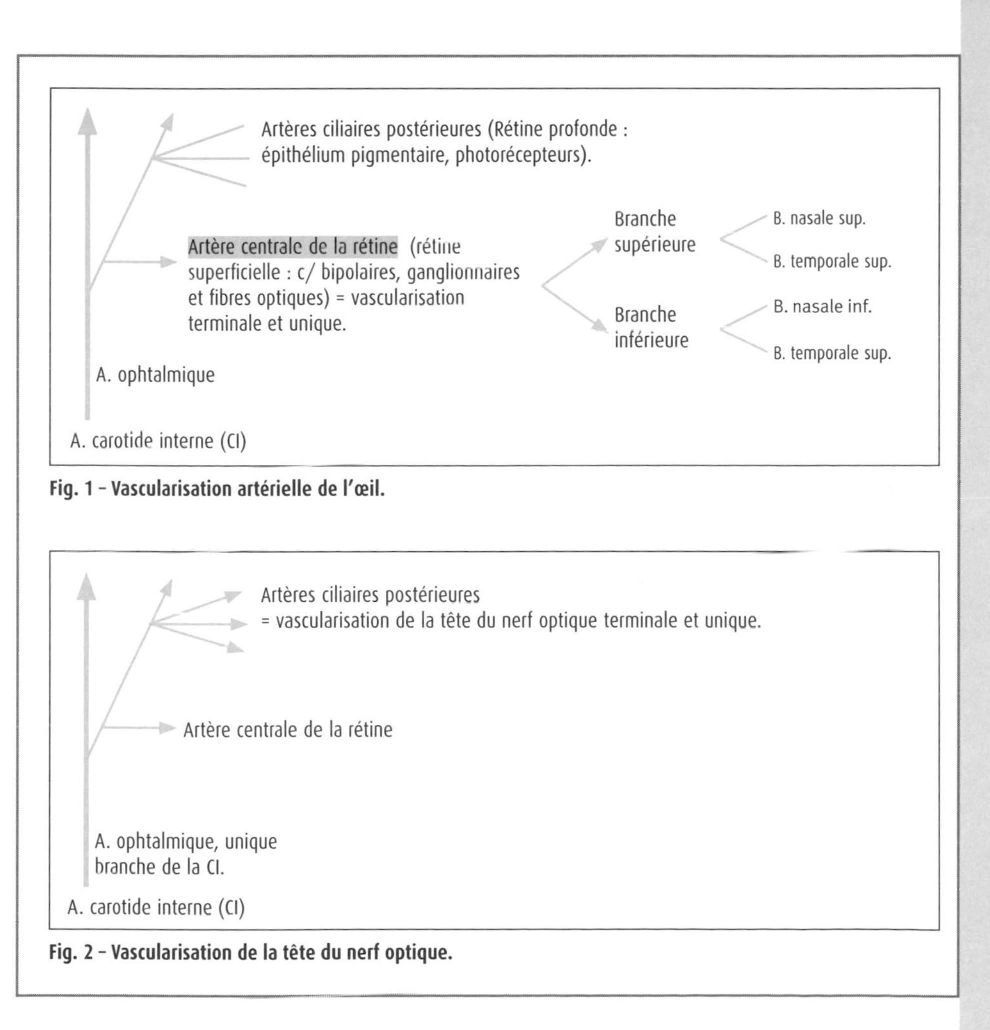

Fig. 1 – Vascularisation artérielle de l'œil.

Fig. 2 – Vascularisation de la tête du nerf optique.

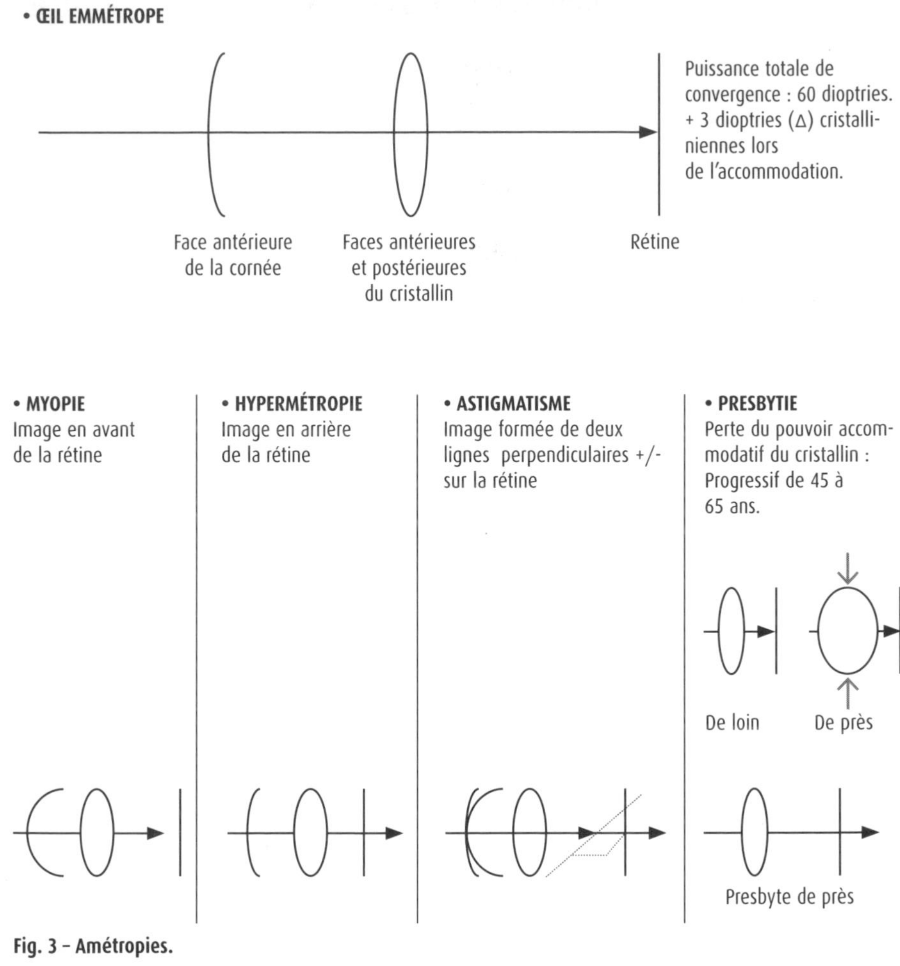

Fig. 3 – Amétropies.

RAPPELS ANATOMIQUES

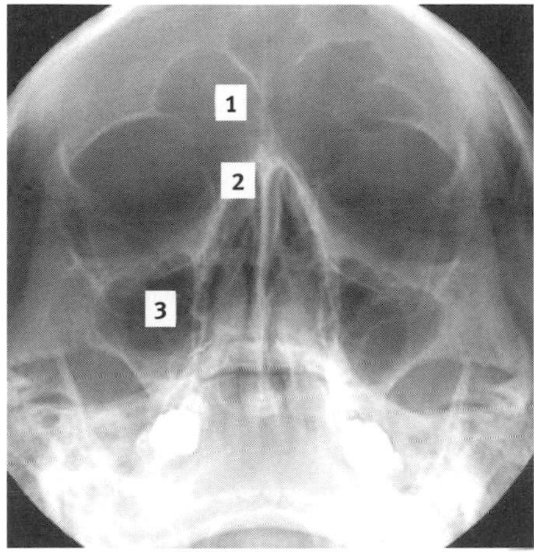

Projection des sinus de la face sur un cliché des sinus (Blondeau)

1. sinus frontal
2. sinus epthmoïdal
3. sinus maxillaire

Frontal
Ethmoïdal
Ethmoïdal
Maxillaire
Spheroïdal

Projection des sinus de la face (schéma)

Fig. 4 - Sinus de la face.

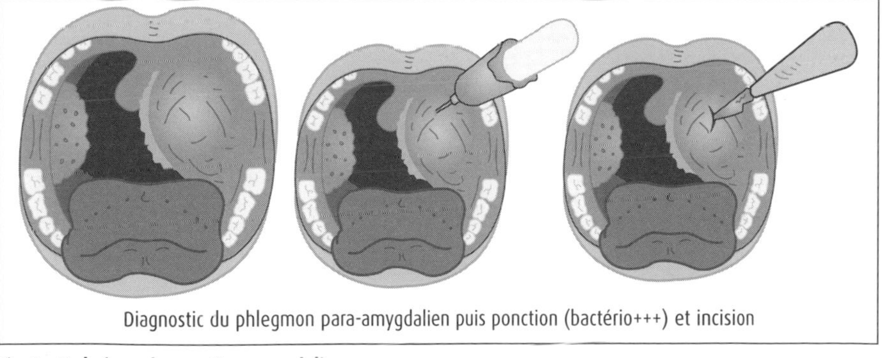

Diagnostic du phlegmon para-amygdalien puis ponction (bactério+++) et incision

Fig. 5 - Technique de ponction amygdalienne.

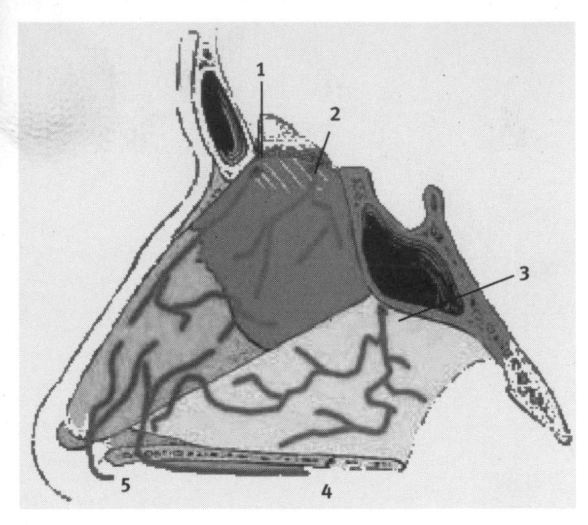

1. artère ethmoïdale antérieure
2. artère ethmoïdale postérieure
3. artère sphénopalatine
4. artère palatine .
5. tâche vasculaire

Fig. 6 – Vascularisation artérielle des fosses nasales.

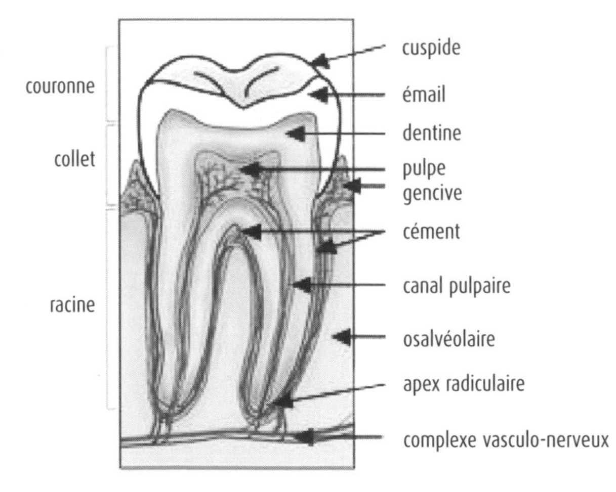

Fig. 7 – Anatomie dentaire.